Bouillon de poulet pour l'âme du . *et encouragera non seulement les survivants du cancer et ceux qu'ils aiment, mais tous ceux qui respirent. Il apportera réconfort et encouragement à tous. C'est un livre qu'il faut absolument lire!*

WALLY AMOS, « The Cookie Man »

Bouillon de poulet pour l'âme du survivant *est un merveilleux livre d'encouragement. Nous avons tous nos moments difficiles; les histoires inspirantes de ce livre nous montrent ce que nous pouvons retirer de ces épreuves, et même apprendre d'elles — c'est ça, le secret de la survie!*

DAN JANSEN,
Médaillé d'or olympique en patinage de vitesse

Eh oui! Ce merveilleux livre nous montre qu'il est possible de faire du cancer un triomphe plutôt qu'une tragédie! Qu'il est possible d'y puiser des bienfaits, d'y apprendre des leçons... et d'y trouver de l'énergie qu'on ne croyait pas posséder. Le cancer a été un des « cadeaux » les plus enrichissants de ma vie.

SUSAN JEFFERS, Ph.D., auteure

J'ai beaucoup apprécié ce merveilleux livre qui réchauffe le cœur. Il m'a rappelé toutes les personnes avec qui j'ai travaillé depuis 1974. En le lisant, j'ai eu l'impression de participer à une centaine de groupes de soutien en même temps. On repart avec le sentiment d'avoir partagé quelque chose d'important, quelque chose de soi-même.

ELISE NEEDELL BABCOCK,
Fondatrice de Cancer Counseling Inc., et auteure

Au cours des quatorze dernières années de soutien psychologique et émotionnel prodigué à des milliers de cancéreux, nous avons découvert d'importants effets thérapeutiques positifs découlant de l'interaction avec d'autres malades du cancer. Bouillon de poulet pour l'âme du survivant, *un merveilleux livre de ressourcement, permet à la personne atteinte de cancer de faire la connaissance de plusieurs autres personnes qui comprennent cette maladie dans les moindres détails.*

HAROLD H. BENJAMIN, Ph.D.,
Fondateur et président de The Wellness Community

Ces histoires vous prendront par la main et par le cœur, et vous montreront ce que chacun de nous est capable d'accomplir.

W. MITCHELL, CPAE,
auteur et spécialiste de la motivation
de renommée internationale

Bouillon de poulet pour l'âme du survivant *nous dévoile tout ce que les analyses du sang, les rayons X et les IRM ne peuvent dévoiler : la vraie nature de l'âme survivante. À travers l'horreur du cancer, ces héros ont découvert la valeur de la vie quotidienne. En nous faisant partager leur histoire, ils nous donnent la force nécessaire non seulement pour survivre, mais pour grandir. En plus des cancéreux, de leur famille et des personnes qui les soignent, ce livre s'adresse autant à ceux qui ont eu un ongle cassé qu'un cœur brisé.*

ROBERT WOLLMAN, M.D.,
Holy Cross Hospital Cancer Center

Bouillon de Poulet pour l'âme du Survivant

Jack Canfield
Mark Victor Hansen
Patty Aubery
et Nancy Mitchell, R.N.

Bouillon de *Poulet* pour l'âme du *Survivant*

Des histoires de courage et d'inspiration par ceux qui ont survécu au cancer

Préface de Bernie S. Siegel, médecin
Traduit par Marie-Josée Trudel

SCIENCES ET *CULTURE*
Montréal, Canada

L'édition originale de cet ouvrage a été publiée sous le titre
CHICKEN SOUP FOR THE SURVIVING SOUL
© 1996 Jack Canfield, Mark Victor Hansen,
Patty Aubery et Nancy Mitchell
Health Communications, Inc.
Deerfield Beach, Floride (É.-U.)
ISBN 1-55874-402-9

Réalisation de la couverture : ZAPP

Tous droits réservés pour l'édition française
en Amérique du Nord
© 2001, *Éditions Sciences et Culture Inc.*

Dépôt légal : 1er trimestre 2001
Bibliothèque nationale du Québec
Bibliothèque nationale du Canada

ISBN 2-89092-277-4

 Éditions Sciences et Culture
5090, rue de Bellechasse
Montréal (Québec) Canada H1T 2A2
(514) 253-0403 Fax : (514) 256-5078
Internet : http://www.sciences-culture.qc.ca
Courriel : admin@sciences-culture.qc.ca

Nous reconnaissons l'aide financière du gouvernement du Canada
par l'entremise du Programme d'Aide au Développement de l'Industrie de l'Édition pour nos activités d'édition.

IMPRIMÉ AU CANADA

Nous dédions affectueusement ce livre
à Linda Mitchell — survivante du cancer
et mère de Patty et Nancy —
qui fut la première à suggérer
que nous le compilions.
Elle a consacré des centaines d'heures
à lire plus de mille histoires et poèmes,
tout au long de la préparation de ce livre,
et nous a donné le courage de continuer,
quand nous pensions
que nous serions incapables de terminer.
Bouillon de poulet pour l'âme du survivant
n'existerait pas sans votre aide!

Nous aimerions également dédier ce livre
à Jeff Aubery, le mari de Patty,
qui a vécu les six derniers mois de ce projet
presque comme un père célibataire,
avec leur fils J.T.,
tandis que Patty travaillait à temps plein
pour finir notre livre.

Il n'existe pas de route trop escarpée...

Il n'existe pas de chemin
trop sombre,
ni de route trop raide,
ni de colline trop glissante
pour que d'autres personnes
y soient passées
avant moi
et qu'elles aient survécu.
Que mes moments difficiles
m'enseignent à aider
ceux que j'aime
sur des parcours semblables.

Maggie Bedrosian

Table des matières

Les citations

Pour chacune des citations contenues dans cet ouvrage, nous avons fait une traduction libre de l'anglais au français. Nous pensons avoir réussi à rendre le plus précisément possible l'idée d'origine de chacun des auteurs cités.

Préface

J'ai été très honoré quand on m'a demandé d'écrire la préface de *Bouillon de poulet pour l'âme du survivant*. J'ai tellement été touché et inspiré par les deux premiers *Bouillon de poulet* que ma préface pourrait être plus longue que le livre lui-même. D'un autre côté, je me suis rendu compte que je pouvais aussi bien écrire cette préface en un seul mot, le mot *amour*. Je pourrais citer tous les grands maîtres spirituels pour insister sur ce point, mais je pense que vous, cher lecteur, savez ce dont je parle, sinon vous ne seriez pas en train de lire ce livre.

Lorsque nous assistons à un événement qui affecte notre sensibilité, une des réactions est de refouler les sentiments qu'il suscite et de les enterrer bien profondément. Au début de ma carrière de médecin, je peux dire que j'étais très doué pour cela. En agissant ainsi, je pensais me protéger, mais en fait je ne faisais que me faire du mal. Finalement, j'ai eu tellement mal que je me suis mis à chercher un moyen de guérir. Des livres comme *Bouillon de poulet pour l'âme* faisaient partie de mon processus de guérison, car lorsque nous lisons, nous entrons en contact avec nos sentiments. C'est alors que nous sommes en mesure de les exprimer, pour ainsi guérir notre vie et notre corps. Alors lisez, ressentez et trouvez la guérison dans ces pages.

Apprenez des anciens, de ceux qui vous ont précédé et qui ont trouvé des chemins menant à la guérison. D'une manière ou d'une autre, nous avons tous un cancer, qu'il soit psychologique ou physique. Quatre-vingt-dix pour cent des personnes auxquelles je m'adresse disent que la vie est injuste. En réalité, ce qu'elles disent vraiment, c'est que la vie est difficile. C'est vrai, mais elle l'est pour tout le monde; donc, elle n'est pas injuste. Nous sommes tous en train de nous plaindre. Ce livre peut vous enseigner comment faire face non seulement au cancer, mais aussi à toutes les difficultés de la vie. Il vous montrera comment donner un sens à cette expérience qu'est votre vie.

En soignant les gens, je remarque qu'ils sont bien renseignés sur la manière de vivre une vie plus saine. Il leur manque la motivation qui conduit à la transformation. Pour certains, cette motivation ne vient qu'au moment où ils apprennent qu'il ne leur reste que peu de temps à vivre, qu'ils ne sont pas immortels. Eh bien, personne n'est immortel, et c'est pour cela qu'il serait plus sage de lire *Bouillon de poulet pour l'âme du survivant* et d'être motivé maintenant, plutôt que d'attendre d'être gravement malade pour l'être.

Comme je l'ai déjà mentionné, ma transformation vient de ma souffrance en tant que médecin. Elle résulte du fait que j'ai tout gardé à l'intérieur de moi jusqu'à ce que je sois atteint d'un trouble de stress post-traumatique, mal dont souffrent tant de personnes dans la société d'aujourd'hui.

Mes patients sont devenus mes professeurs. Tout en leur apprenant comment vivre entre deux consultations, j'apprends aussi sur la vie. Alors, je vous en prie, acceptez votre mortalité et trouvez le bonheur et l'amour. Vous découvrirez aussi que la première personne qu'il vous faut aimer, c'est vous-même.

Qui sont les meilleurs professeurs? À mon avis, ce sont ceux qui ne meurent pas quand ils sont supposés mourir. Ils vous éclaireront sur la vie. Ils savent qu'ils ne sont pas des statistiques, pas plus qu'ils ne sont contrôlés par elles. Un étudiant en médecine que je connaissais se mit en colère quand il apprit que la maladie dont il souffrait récidivait invariablement. Sept ans plus tard, il terminait ses études en médecine, sans une seule trace de la tumeur « incurable ».

D'autres décident de passer le temps qui leur reste à construire un monde meilleur, et ils deviennent tellement occupés qu'ils en oublient de mourir. Du jour au lendemain, ils ont soudain la permission de démissionner de leur emploi, d'enlever leur cravate, de déménager à la montagne ou au bord de la mer, d'exprimer leur amour, de dire ce qu'ils pensent, d'explorer une vie spirituelle, de lire et de faire des activités qu'ils n'avaient jamais eu le temps de faire auparavant. Ils réalisent la véracité de l'affirmation : « Profitez de la vie, il est plus tard que vous le pensez. » Leur plaisir n'a rien à voir avec de l'égoïsme. Je n'arrive pas à croire combien de personnes pensent qu'être heureux, c'est être égoïste. Mais non ! Il s'agit tout simplement de personnes qui sont utiles aux autres à leur manière, et non à la manière qu'un autre a décidé. « Après avoir fait toutes les choses que je voulais faire avant de mourir, je ne suis pas morte », me dit une femme. Plus tard, elle m'écrivit :

« Maintenant, je suis tellement occupée que je suis en train de me tuer. Au secours ! Qu'est-ce que je dois faire ? » Je lui ai conseillé de faire une sieste. Elle n'était pas en train de s'épuiser, mais plutôt de se consumer entièrement.

D'autres décident de confier leurs problèmes à Dieu; et après, ils se sentent mieux. Laissez les difficultés de la vie devenir vos professeurs. Essayez toujours de décrire vos problèmes avec des mots qui expriment vos sentiments. Puis, cherchez les choses qui dans votre vie correspondent à cette description, et guérissez-les. Votre vie deviendra plus agréable et, physiquement, vous en retirerez des avantages. N'oubliez pas que la vie est un accouchement douloureux, mais que les douleurs ne vous sont pas infligées par quelqu'un d'autre. C'est vous qui décidez ce que vous devez vivre pour donner naissance à votre être.

Tout le monde sait que si on accouche entouré de personnes aimantes à nos côtés, c'est moins douloureux et il y a beaucoup moins de complications. Alors, allez chercher l'aide dont vous avez besoin. Créez une société d'investissement avec votre famille, vos amis et les personnes qui vous soignent. Les récits contenus dans ce livre vous montreront comment faire.

Ces histoires vous enseigneront aussi que, dans la vie, il ne s'agit pas de se demander : « Pourquoi ça m'arrive à moi? », mais plutôt de dire : « Mettez-moi à l'épreuve! » Vous apprendrez que lutter contre une maladie ou une difficulté, c'est non seulement la guérir, mais c'est aussi vivre dans l'adversité de façon à devenir une inspiration pour ceux qui vous entourent. Vous êtes un gagnant par votre façon de vivre et non parce que vous ne mourez pas.

Il n'y a plus de place dans votre nouvelle vie pour de la culpabilité malsaine, de la honte et des reproches. Si vous perdez vos clés de voiture, ce n'est pas parce que Dieu vous punit et veut que vous rentriez chez vous à pied. Si vous perdez votre santé, ce n'est pas non plus parce que Dieu vous punit. Nous (en incluant Dieu) vous aiderons à recouvrer votre santé tout comme nous vous aiderions à retrouver vos clés — sans culpabilité ni reproches.

En essayant de vivre le moment présent, vous serez étonné des changements dans votre vie, et de la sagesse intérieure que vous découvrirez. Comme vous vous en rendrez compte en lisant ce livre, la clé, c'est la transformation. Je vais vous faire part d'un secret que je ne partage qu'avec les lecteurs, sur la manière de réussir cette transformation.

Vos pensées provoquent des variations chimiques dans votre corps. Ce que vous vivez ou anticipez altère votre organisme. Dans les moments où vous riez, où vous aimez, où vous vous amusez, votre corps réagit différemment que dans les moments d'anxiété, de désespoir ou de peur.

Alors, que faire? Comportez-vous comme la personne que vous aimeriez être. Selon certaines études, nous savons que la chimie du corps des actrices et des acteurs est altérée selon l'émotion suscitée par le rôle qu'ils sont en train d'interpréter.

Quand vous aurez fini de lire votre *Bouillon de poulet*, et que vous vous sentirez mieux, décidez qui vous voulez être et commencez à devenir le nouveau vous. La seule personne qui peut vous changer, c'est vous-même; mais un bon entraîneur peut vous aider à faire ressortir le meilleur de vous-même. Laissez ce livre être votre entraîneur ou votre guide, et n'hésitez pas à en chercher d'autres.

Je vais conclure avec une pensée importante. Selon William Saroyan : «Tous les humains sont des acteurs, mais ils sont presque tous des acteurs très pitoyables.» Il poursuit en disant que c'est ce qui explique que vous disposiez de toute une vie pour apprendre à agir comme vous-même. Alors pardonnez-vous quand vous n'êtes pas la personne que vous voudriez être. Puis ressortez vos photos de bébé, regardez-les et pardonnez-vous. Puis continuez à essayer de devenir la personne que vous voudriez être.

Un dernier petit conseil, lisez *Bouillon de poulet pour l'âme du survivant* et soyez inspiré. Et pour ceux d'entre vous qui n'ont pas le cancer, mais qui sont des membres

de la famille, des amis ou des soignants de personnes
atteintes du cancer — ou simplement un membre de
l'espèce humaine — n'attendez pas que votre vie soit
menacée pour réagir aux leçons présentées dans ce livre.

Bernie S. Siegel, médecin

Remerciements

Comme pour les *Bouillon de poulet pour l'âme* précédents, il nous a fallu plus d'un an pour écrire, compiler et réviser *Bouillon de poulet pour l'âme du survivant*. Ce fut un vrai travail d'amour pour tous ceux d'entre nous qui étaient impliqués, et nous aimerions remercier les personnes suivantes pour leur contribution, sans lesquelles ce livre n'aurait jamais pu voir le jour.

Nos familles, qui nous ont accordé le temps nécessaire à la réalisation de ce livre, ainsi que le soutien moral dont nous avions besoin pour persévérer tout au long de ce qui semblait être une tâche accablante et interminable. Vous continuez d'être le bouillon de poulet pour nos âmes, jour après jour!

Heather McNamara, qui consacra d'innombrables heures — tard dans la nuit et plusieurs fins de semaine — à réviser le manuscrit et à corriger chacune des versions. Heather, nous n'y serions jamais arrivés sans ton aide!

Harold Benjamin, pour la créativité et le génie dont il a fait preuve tout au long de ce projet, ainsi que pour le temps qu'il a pris pour nous rencontrer et relire le manuscrit — nous fournissant les commentaires dont nous avions besoin.

Dr Bernie Siegel, pour avoir pris du temps dans son horaire très chargé pour nous donner des conseils et des idées sur la relation corps-esprit, de l'information médicale et beaucoup plus.

Diana Chapman, pour avoir partagé ses histoires, pour nous avoir fait part de ses remarques sur le manuscrit et pour nous avoir remonté le moral tout au long du projet.

Coping Magazine, pour nous avoir permis de demander des histoires à leurs lecteurs dans la section « lettres » de leur revue.

Joel Goodman, qui nous envoya plusieurs petites pensées d'humour qui furent très utiles.

Anna Kanson de *Guideposts*, pour avoir cherché des histoires et pour nous les avoir envoyées. Merci pour ta patience! Ce livre aurait été incomplet sans ton aide.

Meladee McCarty, qui a non seulement lu le manuscrit en un temps record, mais qui a envoyé de nombreuses histoires et citations pour nous aider à apporter à ce livre la dose d'humour qui lui était nécessaire.

Michelle Nuzzo, pour son encouragement et ses idées pour nous aider à trouver des sources d'informations, et pour avoir rédigé la version initiale du manuscrit. Michelle, tu étais toujours là quand nous avions besoin de toi!

John Wayne « Jack » Schlatter, qui nous a toujours envoyé des histoires magnifiquement rédigées et qui nous a encouragés tout au long du projet. Tu es un véritable ami, Jack!

Marci Shimoff et Jennifer Hawthorne, coauteures de *Bouillon de poulet pour l'âme de la femme*, pour nous avoir envoyé des histoires provenant de tous les coins du pays.

Peter Vegso et Gary Seidler de Health Communications, pour avoir eu confiance en nous, et pour avoir mis notre livre dans les mains de millions de lecteurs. Merci Peter et Gary!

Kim Wiele, qui a fait fonctionner nos bureaux pendant la dernière étape de notre projet.

Kimberly Manson Culver, qui nous aida à lire et à classer les histoires, et qui consacra de nombreuses heures à terminer ce projet.

Larry Price, qui continue à nous apporter son soutien et ses encouragements.

Trudy Klefstad d'Office Works, qui effectua la saisie des textes en un temps record et avec très peu d'erreurs. Tu es une vraie perle!

Christine Belleris, Matthew Diener et Mark Colucci, nos éditeurs chez Health Communications, qui nous ont généreusement aidés à produire un ouvrage de grande qualité.

Nous tenons également à remercier les personnes ci-après nommées qui ont accompli un travail énorme en acceptant de lire la toute première ébauche du livre, qui nous ont aidés à faire les sélections finales, et qui nous ont fourni des commentaires d'une valeur inestimable sur la façon d'améliorer le livre : Jeff Aubery, Kelle Apone, Brian Barnwell, Harold Benjamin, Linda Blackman, Diana Chapman, Mona Cohen, Manuel Diotte, Pam Finger, Charles Green, Dr Robert Grossman, Glenda Hawley, Jennifer Hawthorne, Elizabeth Kapiloff, Kimberly Kirberger, Edd Mabrey, Meladee et Hanoch McCarty, Linda Mitchell, Michelle Nuzzo, Lee Potts, Dr Ann Raymer, Martin Rutte, John Wayne Schlatter, Marci Shimoff, Bernie Siegel, Janet Switzer, Rebecca Wiederkehr, Dr Robert Wollman, Monique Djolakian Zgrablich et Kelly Zimmerman.

Nous désirons également exprimer notre reconnaissance aux centaines de personnes qui nous ont envoyé des histoires, des poèmes et des citations pour *Bouillon de poulet pour l'âme du survivant*. Même si nous n'avons pas été en mesure de publier tout ce que nous avons reçu, nous avons été profondément touchés par votre désir sincère de partager avec nous et avec nos lecteurs un peu de vous-mêmes à travers vos histoires. Merci!

Dans un projet d'une telle envergure, il se peut que nous ayons oublié de nommer quelques personnes qui nous ont aidés. Si c'est le cas, veuillez nous en excuser. Nous sommes très reconnaissants pour tous les cœurs et toutes les mains qui ont rendu ce livre possible. Nous vous remercions tous pour vos idées, votre intérêt, votre engagement et vos actions.

Introduction

Les histoires que les gens racontent les soignent, d'une certaine façon... Il peut arriver qu'une personne ait plus besoin d'une histoire que de nourriture pour rester en vie.

Barry Lopez

Avec tout notre cœur, nous sommes heureux de vous offrir *Bouillon de poulet pour l'âme du survivant.* Ce livre renferme des histoires qui, nous en sommes certains, vous encourageront à garder espoir, vous donneront la force de prendre votre vie et votre guérison en main, vous inciteront à donner et à recevoir plus d'amour inconditionnel, vous motiveront à lutter et à persévérer contre tout ce qui semble être des obstacles et des épreuves insurmontables, vous inviteront à exprimer vos sentiments, vous persuaderont de chercher plus d'aide et de mieux l'accepter, et enfin, vous convaincront de vivre chaque journée plus pleinement et avec plus d'humour, tout en mettant plus de conviction dans la réalisation de vos rêves les plus chers.

Ce livre vous encouragera dans les moments de frustration et de défi, il vous réconfortera dans les moments de souffrance. Si vous lui en donnez l'occasion, *Bouillon de poulet pour l'âme du survivant* deviendra votre compagnon de route pour la vie, vous offrant perspectives, sagesse et conseils sur plusieurs aspects de votre guérison et de votre vie.

Pendant cette période très éprouvante de ma vie où je lutte contre le cancer, j'apprécie réellement de pouvoir compter sur Bouillon de poulet pour l'âme du survivant *pour trouver force et paix.*

Paul

Pourquoi ce livre?

En janvier 1995, la mère de Nancy et de Patty, Linda Mitchell, apprit qu'elle était atteinte d'un cancer du sein. Parce que nous avions passé les cinq dernières années à écrire et à compiler des livres de la série *Bouillon de poulet pour l'âme*, Linda nous donna l'idée de compiler un livre avec les histoires de ceux qui ont été touchés par le cancer. Le projet a démarré très lentement, et nous nous demandions même si nous serions capables de le terminer un jour. Au fur et à mesure que les survivants du cancer et les membres de leur famille se mirent à nous envoyer des histoires portant sur leurs expériences personnelles, et que nos lectures et nos recherches sur le cancer avançaient, nous nous sommes rendu compte que nous allions être capables de le terminer, et qu'il s'agirait d'un très bon livre. Mais nous réalisâmes aussi autre chose.

Quand l'idée d'un livre sur le cancer vit le jour, il était surtout question de survivre au cancer, mais au fur et à mesure qu'il prenait forme, nous nous rendions compte qu'il s'agissait vraiment d'un livre sur la vie. En fait, huit millions de survivants du cancer ont découvert des choses sur la vie que la plupart d'entre nous ne savent pas encore. En poursuivant notre travail, nous réalisions que chaque histoire nous enseignait ce qui était réellement important dans la vie. Ainsi, nous avons appris à mieux apprécier les choses simples de la vie — admirer les couleurs changeantes d'un lever de soleil, marcher sur le sable, écouter de la musique, boire un verre de jus de fruit fraîchement pressé, jouer avec nos enfants et exprimer notre affection à ceux que nous aimons. Nos familles, ainsi que l'amour que nous partageons tous, ont pris de plus en plus d'importance à nos yeux.

Au moins une fois par jour, nous nous arrêtons pour songer à la chance que nous avons. Grâce à ce livre, nous ne sommes plus les mêmes personnes. Nos priorités sont plus claires. Nous exprimons nos sentiments plus ouvertement, nous prenons nos vitamines et nos plantes médicinales avec plus de régularité, nous mangeons plus sainement, nous faisons de la méditation et du yoga plus souvent, nous prions avec plus de conviction et nous aimons plus ouvertement. Nos tâches quotidiennes sont observées avec plus de rigueur, nos comportements codépendants diminuent, et nous nous fions de plus en plus à nos intuitions. Nous rions plus souvent, consacrons plus de temps à jouer, nous soucions moins de plaire aux autres et sommes plus que jamais convaincus que chaque journée est un cadeau précieux que l'on doit vivre pleinement.

Bouillon de poulet pour l'âme du survivant *m'a rappelé que la vie est vraiment trop courte pour se cacher, elle est faite pour être vécue!*

Rita Valdez

Nous remercions tous ceux qui ont été éprouvés par le cancer, car vos luttes et vos points de vue nous ont permis d'approfondir notre compréhension de la vie, de l'amour et de la spiritualité. Nous sommes persuadés que les lecteurs vivront la même expérience que nous avons vécue en créant ce livre. D'après ce que nous ont dit plusieurs cancéreux, survivants du cancer, membres des familles et soignants avec lesquels nous avons partagé les premières ébauches de ce livre, nous savons qu'il réconfortera, aidera et inspirera tous ceux qui ont été confrontés à cette épreuve. Nous espérons aussi que ce livre sera un signal d'alarme pour ceux qui ne sont pas atteints de cancer; nous espérons que vous serez inspirés sans que vous ayez personnellement à vivre ces combats.

Et vous, qui présentement vous battez contre le cancer, nous vous invitons à laisser ces histoires vous toucher au plus profond de votre être et vous donner la foi, l'espérance et le courage dont vous avez besoin pour vous battre et pour gagner, parce que d'autres l'ont fait avant vous. Puissent ces histoires éclairer votre route dans les nuits sans lumière. Nous vous transmettons notre affection et nos bénédictions, ainsi que l'affection et les bénédictions de tous ceux qui ont participé à ce projet. Tous se sentent concernés… et savent ce à quoi vous êtes confrontés et ce qu'il est possible d'accomplir.

Partagez ces histoires avec d'autres

Quelquefois, notre flamme s'éteint, puis est rallumée par un autre être humain. Chacun d'entre nous se doit de remercier de tout son cœur ceux qui ont ravivé cette flamme.

Albert Schweitzer

Quelques-unes des histoires que vous lirez vous toucheront au point de vouloir les partager avec quelqu'un d'autre — un autre malade, un survivant, un membre de la famille ou un soignant. Quand cela vous arrivera, prenez le temps d'appeler ou d'aller voir cette personne pour partager l'histoire avec elle. Soyez sûr que vous retirerez quelque chose d'encore plus profond pour vous-même en partageant ces histoires avec d'autres.

Comment lire ce livre

Une lectrice de notre tout premier *Bouillon de poulet pour l'âme* nous a écrit qu'elle avait lu tout le livre d'un seul trait, et que durant ce laps de temps, tous ses symptômes de grippe avaient disparu! Nous savons que la lecture de ce livre peut agir sur votre système immunitaire. Plutôt surprenant, n'est-ce pas?

En fait, nous ne vous conseillons pas de lire ce livre en une seule fois. Prenez votre temps. Profitez-en. Savourez-le. Entrez dans chaque histoire avec tout votre être. Lire un livre comme celui-ci, c'est comme s'asseoir pour manger un repas qui ne serait composé que de desserts. C'est beaucoup trop riche pour être digéré en une seule fois. Prenez le temps de ressentir chacune des histoires. Repassez les mots dans votre tête mais aussi dans votre cœur. Laissez chaque histoire vous toucher. Posez-vous les questions suivantes : *Qu'éveille-t-elle en moi? Que m'inspire-t-elle dans ma vie personnelle? Quel sentiment ou quelle réaction appelle-t-elle du fond de mon être?* Nous vous encourageons à vivre une relation personnelle avec chaque histoire.

Certaines histoires vous interpelleront plus que d'autres. Certaines auront un sens plus profond. Certaines vous feront rire, d'autres vous feront pleurer. Certaines vous réchaufferont le cœur, d'autres auront l'effet d'un choc. Il n'y a pas de bonne réaction, il n'y a que VOTRE réaction. Laissez-la venir.

1

L'ESPOIR

*Espérer veut dire
voir que l'issue souhaitée est possible,
et ensuite y travailler de votre mieux.*

Bernie S. Siegel, M.D.

Ce que le cancer
ne peut pas faire

Le cancer est si faible —

Il ne peut paralyser l'amour,
Il ne peut anéantir l'espoir,
Il ne peut corroder la foi,
Il ne peut détruire la paix,
Il ne peut tuer l'amitié,
Il ne peut effacer les souvenirs,
Il ne peut taire le courage,
Il ne peut envahir l'âme,
Il ne peut s'emparer de la vie éternelle,
Il ne peut conquérir l'esprit.

Auteur inconnu

Les guérisseurs de l'âme

Pendant les premiers mois qui suivirent le diagnostic de mon cancer, je ne voulais envisager aucune autre guérison que la guérison physique. Des procédés qui auraient pu m'aider à mieux supporter mon état, ou à prolonger mon espérance de vie de quelques mois, ne m'intéressaient pas; une simple rémission ou une « qualité de vie » ne m'attiraient guère plus. Une guérison complète, voilà la seule solution que je pouvais accepter, et j'étais prête à faire n'importe quoi et à aller n'importe où pour y arriver.

Une fois que les chirurgies et les radiothérapies furent terminées, je me suis retrouvée dans cette effrayante zone floue de la vie après le traitement. Les médecins avaient fait tout ce qui était en leur pouvoir, et maintenant j'étais toute seule à me demander si j'allais être vivante ou morte d'ici un an. Pour le bien de ma santé mentale, je me suis efforcée de me convaincre moi-même, et quiconque voulait bien m'entendre, que j'allais très bien et que le cancer n'était pas une condamnation à mort. « Les cancéreux ne sont pas des causes perdues » était devenu ma devise. J'étais très agressive et irritable.

Seulement deux semaines plus tôt, mon ami et moi avions décidé ne plus faire route ensemble. Je me sentais perdue et effrayée face à l'avenir. Seule dans mon lit, la nuit, je fixais les murs blancs en me demandant qui pourrait bien vouloir d'une cancéreuse de 39 ans. La vie dans mon appartement était devenue sinistrement silencieuse.

Puis, un jour, Flora est entrée dans ma vie — un chaton maigrichon et sauvage d'environ quatre semaines, plein de teigne, de puces et de mites. Seule et grelottante sous ma voiture, Flora avait l'air désespérément malade. J'agrippai sa queue décharnée et me mis à la tirer. En l'espace de quelques secondes, elle m'avait complètement écorché la main de ses griffes, mais je ne lâchai pas prise et réussis à la ramener, crachant et geignant, jusqu'à mon appartement. À ce moment-là, je réalisai que ma vie solitaire accueillait avec joie l'agitation d'un minuscule chaton en colère qui me distrairait de mes pensées déprimantes.

Avec son arrivée, je détournai mon énergie de moi-même et de mes idées démoralisantes pour la consacrer à soigner Flora. En plus de la teigne et des puces, elle souffrait d'une terrible infection virale qui avait ulcéré sa langue, ses joues et sa gorge. Je m'y connaissais en ulcères de la bouche, aussi pouvais-je compatir de tout cœur avec son pitoyable état. Cela prit plusieurs semaines, mais lentement, Flora finit par guérir, et avec le temps nous nous sommes attachées l'une à l'autre. Elle s'est très rapidement transformée en une boule de poils affectueuse et confiante qui m'attendait à la porte chaque soir quand je rentrais du travail. La solitude de mon appartement avait disparu, et je me réjouissais du succès de notre projet de santé *à deux*. Bien que mon propre avenir me paraissait incertain, réussir avec Flora, ça j'en étais capable.

Seulement quelques semaines après avoir réussi à rendre à Flora un semblant d'apparence de chaton en bonne santé, une leucose féline fut diagnostiquée. Le cancer. Son vétérinaire fit le même triste pronostic que m'avait fait mon oncologue : Flora allait probablement mourir d'ici un an ou deux. Ma réaction fut immédiate et inconsciente : aussitôt que le vétérinaire posa le diagnostic, je considérai Flora comme une cause perdue. Très vite, je mis un terme à mon affection pour elle, afin de me protéger de la souffrance que sa mort, que je savais inévitable, allait me causer.

Le vétérinaire m'a dit que Flora mourrait et je l'ai simplement accepté. Je cessai de parler et de m'amuser avec Flora parce qu'en le faisant, ça finissait toujours par des crises de larmes. Je trouvais même difficile de la regarder. Mais Flora ne me laissait tout simplement pas me détacher d'elle. Quand je passais près d'elle, elle se mettait à courir après moi. Tous les soirs, quand elle se roulait en boule près de moi dans mon lit, elle m'effleurait la joue avec sa patte en ronronnant haut et fort. Quand mon humeur était distante, elle ne semblait pas le remarquer. Flora faisait ce que les chats savent faire le mieux : attendre et observer.

En fin de compte, ce fut sa patience qui l'emporta. Une nuit, mes yeux s'ouvrirent et je réalisai l'erreur de mon attitude envers Flora; comment pouvais-je croire que mon propre cancer n'était pas une condamnation à mort si je ne pouvais nourrir le même espoir pour elle? Comment pouvais-je abandonner un être vivant sans m'abandonner moi-même? Même si je passais mon temps à parler d'espoir et de guérison, je savais qu'honnêtement je me voyais déjà dans la tombe.

Cette prise de conscience fut décisive pour moi. Elle prit du temps à venir, mais elle finit par me tomber dessus comme une averse de grêlons. Combien de fois dans ma vie avais-je refusé de faire face à la souffrance, à la perte et aux vrais sentiments? Ne vivant qu'une « moitié de vie », je me détournais de l'émotion au moindre signe de perte, au risque de me perdre moi-même dans le processus.

Une nuit, peu de temps après m'être réveillée, j'allumai une bougie pour Flora et moi. Nous nous assîmes ensemble pour regarder la flamme, et je promis à Flora de l'aimer avec un infini abandon, aussi longtemps qu'elle serait avec moi, parce que c'était si bon de l'aimer. En aimant Flora, je savais que je trouverais un moyen de m'aimer moi aussi — le mauvais diagnostic et tout le reste. Pour nous deux, chaque jour de notre vie serait dorénavant une journée que nous célébrerions ensemble.

J'entrepris alors de guérir Flora, ce qui voulait dire que je lui administrais plusieurs des trouvailles que j'essayais sur moi-même. Flora bénéficia d'acupression, de vitamines, d'homéopathie, de musique, de traitements par les couleurs, de bains désyntoxicants et d'une bonne dose d'étreintes, d'amour et d'affection. Dans son bol d'eau flottaient des cristaux colorés. Son collier était d'un vert apaisant.

Cependant, le plus important dans tout ce processus fut mon changement d'attitude qui découla de tout ce « tralala », comme l'appelaient certains de mes amis perplexes. Guérir cessa de me peser aussi douloureusement, devint amusant et même facile. Quand j'annonçai à mes amis qu'il se pourrait que je demande à des radiesthésistes de venir visiter ma maison pour détecter et corriger les « mauvaises vibrations d'énergie », je devais avoir un sacré bon sens de l'humour!

Au cours des mois qui suivirent, je réalisai progressivement que la guérison était plus qu'un acte d'héroïsme sur la maladie. La guérison n'est pas un résultat final mais un processus. Flora m'a aidée à retrouver la joie que j'avais perdue après mon traitement et après le départ de mon ami. Sa présence paisible et confiante m'avait apporté une paix extraordinaire. Finalement, en voyant Flora guérie, aimée et chérie, je me suis rendu compte que j'entretenais le même espoir pour moi-même.

Aujourd'hui, Flora a sept ans, elle est en bonne santé et heureuse. Les trois derniers tests de dépistage de la

leucose n'ont rien révélé. Au moment de ma prise de conscience concernant Flora, j'ai réalisé qu'elle était un ange
qui m'avait été envoyé pour m'apprendre que se détour-
ner de l'amour ne servait à rien.

Susan Chernak McElroy

La malchance, ça n'existe pas.

Henry Ford

*Les enfants ont le don extraordinaire de ne pas
prendre le monde des adultes avec le genre de respect que nous sommes si sûrs de devoir lui attri-
buer. Au grand désespoir de tous ceux qui exercent
quelque autorité que ce soit, les enfants dépensent
beaucoup d'énergie à « faire les clowns ». Ils refu-
sent de considérer la gravité de nos préoccupations
monumentales, alors que nous oublions que si nous
devenions plus comme les enfants, peut-être que
nos préoccupations ne seraient plus aussi monumentales.*

Conrad Hyers

De la chimio à la télé

Amour, Espérance et Foi.
Il vous les faut tous les trois.
Si c'est vivre que vous voulez,
il faut prendre la vie du bon côté.
Il y a une rumeur qui dit que j'ai une tumeur.
J'étais une danseuse,
maintenant je suis une cancéreuse.
J'avais des cheveux qui tombaient dans mon dos,
maintenant même Kojak en a de plus longs.
Mais il n'y a pas de quoi s'inquiéter,
parce que c'est moi qui vais gagner!

Voici quelques-unes des paroles de ma « chanson rap sur le cancer ». Je l'ai écrite en mars 1989, à l'âge de 18 ans, quand j'ai appris que j'avais le cancer des os. Après presque deux ans de chimiothérapie, huit opérations majeures — dont l'amputation de ma jambe gauche au-dessus du genou — et six tumeurs plus tard, je peux dire avec reconnaissance que je suis en rémission.

Je ne souhaite à personne d'avoir le cancer, mais j'espère ne jamais oublier ce à travers quoi je suis passée. La douleur, physique et psychologique, m'a vraiment appris à aimer la vie avec passion. La souffrance donne l'espoir, la persévérance et la force de caractère.

Je peux dire que je me suis pas mal amusée aussi à l'hôpital, pendant mes traitements de chimio. D'autres malades — ceux qui en étaient capables — et moi-même, nous avions l'habitude de nous réunir pour des petites fêtes quotidiennes, pendant nos traitements de chimio et nos séances d'hydratation. Je me souviens de m'être promenée sans un cheveu sur la tête, des baguettes chinoises fourrées dans mon nez et mes oreilles, avec pour seul but de susciter la réaction de ceux qui s'y attendaient le moins.

Pour moi, la meilleure chose que j'avais à faire, c'était de faire rire les autres et de leur faire oublier la douleur, pour un moment. Je pense que Dieu a utilisé ma situation et mon expérience pour aider les autres.

Cette passion que j'avais de divertir les autres m'ouvrit aussi une carrière. Avant d'avoir le cancer, j'étais une danseuse dans *Soul Train*. Quand les médecins diagnostiquèrent mon cancer, ils me dirent que jamais plus je ne danserais. Mais je les ai bien eus — je danse toujours, et avec beaucoup d'âme. Il y a deux ans, j'ai commencé à prendre des cours de théâtre. L'industrie du spectacle se concentre en majeure partie dans le sud de la Californie, où j'habite.

Pour ce qui est de ma première audition, je l'ai remise à plus tard parce que j'avais peur de tout gâcher. Mais croyez-le ou non, quand finalement j'ai décidé d'y aller, j'ai décroché non seulement un rôle, mais un rôle principal dans une émission importante : *Northern Exposure!* Ce furent les deux plus belles semaines de ma vie. Je jouai le rôle de Kim Greer, une fille qui s'entraîne pour une course de chaises roulantes à Cicely, en Alaska, et qui se foule le coude. Maggie (Janine Turner) me présente à Ed (Darren Burrows) qui va essayer de me soigner à la manière des chamans amérindiens.

Voici à quoi ressemblait une journée sur le plateau. La veille, j'apprenais mon texte. Je devais me lever très tôt le matin (parfois à 3 h du matin) pour rencontrer les autres acteurs à 4 h 30, puis partir de Seattle pour nous rendre sur les lieux de tournage. Les scènes qui étaient tournées à l'intérieur se passaient à Redmond, dans l'État de Washington, et les prises de vues hors studio se déroulaient à Roslyn, une petite ville de 850 habitants. Au milieu d'une séance de maquillage, je devais aller « bloquer » des scènes (c'est-à-dire les répéter une première fois avec les autres acteurs), puis revenir à ma séance de maquillage, qui était suivie par le tournage des scènes. Celles-ci prenaient beaucoup de temps parce que les tournages étaient effectués à partir d'angles différents et à plusieurs reprises, avant qu'on ne soit en mesure de « procéder » et de « choisir ».

Le réalisateur était vraiment très aimable et comique; il m'appelait « la fille qui joue un rôle sans jouer un rôle ». Quand j'avais terminé mon travail, au début de l'après-midi, j'avais l'habitude de rester dans les parages pour regarder le tournage des autres scènes. C'était très instructif.

Les acteurs et les membres de l'équipe de tournage étaient vraiment des personnes très spéciales. Je me suis même trouvé un « grand-papa », c'était l'homme qui conduisait le plateau de maquillage.

Deux semaines après être rentrée, le réalisateur me rappela pour que je vienne auditionner pour un petit rôle dans *Beverly Hills 90210*. Plus tard, j'appris qu'ils avaient plutôt décidé de me donner un grand rôle, celui d'une activiste universitaire opposée à Brandon Walsh. Je n'ai encore rencontré aucun des acteurs de *90210*. Mais je trouve que la plupart des acteurs sont très différents des personnages qu'ils incarnent.

Bien que j'aie perdu une jambe à cause du cancer, je suis plus occupée que jamais. J'ai appris à skier sur une jambe; et maintenant, j'enseigne le ski et je participe même à des courses. En plus, je n'ai même pas de problèmes avec les skis!

Bien que je me sois fixé des objectifs en ce qui concerne mes deux passions, le spectacle et l'écriture, le cancer m'a appris à ne pas prendre la vie trop au sérieux. La vie, c'est quelque chose de temporaire. Alors, j'ai l'intention de m'amuser pendant que je suis encore vivante!

Kristine Kirsten

On peut apprendre à un vieux singe à faire des grimaces

L'esprit, en plus de la médecine, a le pouvoir de remettre le système immunitaire en marche...

Jonas Salk

En tant que diplômé d'une des dix plus prestigieuses écoles de médecine, et après quatre ans d'internat dans un hôpital universitaire new-yorkais, je peux dire que j'ai reçu une formation solide en médecine. J'étais un médecin compréhensif et très humain; la plupart de mes patients m'aimaient autant que moi je les aimais. Toutefois, je continuais de suivre à la lettre l'enseignement qui m'avait été donné — si ce « n'est pas » écrit dans les livres de médecine, et que cela n'a pas subi d'études croisées à double insu, ce doit être du charlatanisme. Il en fut ainsi pendant quarante ans.

Trois mois avant mon soixante-neuvième anniversaire, ma fille qui habite en Californie m'envoya un exemplaire de *Quantum Healing* (Guérison quantique), une étude réalisée par le docteur Deepak Chopra, dans le domaine de la médecine basée sur le rapport corps-esprit.

Pour mon soixante-neuvième anniversaire, bien que je me sente en pleine forme, je subis un examen médical complet. Les médecins diagnostiquèrent un stade très avancé du cancer de la prostate. Le professeur de l'école de médecine confirma le diagnostic. Il me dit qu'il n'y avait aucun espoir de guérison, mais qu'il pouvait ralentir l'évolution de la maladie avec de l'hormonothérapie, ce qui me permettrait de vivre de 18 à 24 mois de plus.

Après avoir pris connaissance du diagnostic, je suis entré dans un état de choc et de dépression, malgré l'extraordinaire soutien que m'apportaient ma femme et mes enfants. C'est alors que mes deux filles de Californie entrèrent en scène. Je commençai à lire des livres et à écouter des cassettes sur la guérison; j'entrepris un régime macrobiotique; je m'inscrivis à des cours de méditation; je pris rendez-vous avec un « psychologue du cancer » et je commençai à visualiser la destruction de mon cancer. Aucune de ces pratiques n'entrait dans la catégorie des traitements médicaux standards, et bien que je les accomplisse toutes avec une bonne dose de scepticisme, je ne pouvais résister à la force de persuasion de ma famille. J'étais décidé à être un bon patient et je suivis toutes ces directives avec rigueur, en essayant d'avoir un esprit ouvert.

Cinquante et un mois ont passé depuis mon diagnostic. Je vais mieux, mais je ne suis plus du tout la même personne. J'ai effectué un virage de 180 degrés dans mon attitude face à la pratique médicale. Le médecin, à l'esprit très étroit et à la vision restreinte que j'étais, était maintenant ouvert à toutes les possibilités. J'anime actuellement des groupes de soutien pour le cancer et je suis devenu partisan de la diète, de la méditation, de la visualisation et du soutien psychologique. Chaque semaine, je reçois de nombreux appels de personnes atteintes du cancer qui ont entendu parler de mon histoire et qui veulent savoir ce qu'elles pourraient faire pour améliorer leur sort.

Il y a environ un an, j'ai ajouté la prière à mon programme. J'avais déjà entendu parler du pouvoir de la prière, et ma famille m'avait aussi beaucoup encouragé à prier, mais j'étais resté sceptique jusqu'à ce que j'entende parler du Dr Larry Dossey et que je lise son livre, *Healing Words* (Les mots qui guérissent). Maintenant, je suis à l'affût d'articles et de témoignages télévisés qui parlent de la prière. À ma façon — bien informelle — je m'adresse à Dieu tous les jours.

Je commence mes journées par 30 minutes de méditation, de prières et de visualisation. Magasiner et cuisiner font maintenant partie de mon train-train quotidien. J'ai rayé de mon menu les matières grasses ainsi que tous les produits d'origine animale, en faisant une plus grande place aux céréales entières, aux légumes frais et aux autres aliments qui sont compatibles avec mon régime macrobiotique. Je continue de consulter un conseiller en macrobiotique deux fois par année.

Écouter les cassettes du Dr Bernie Siegel, du Dr Deepak Chopra, de Louise Hay et d'autres qui sont très engagés dans la relation corps-esprit fait aussi partie de ma vie quotidienne. Dans mes lectures, j'ai découvert que de nombreux « miracles médicaux » ont été rendus possibles grâce aux thérapies alternatives.

Plusieurs de mes collègues me considèrent encore comme le « dingue » qui a eu un coup de chance et qui est en rémission de son cancer. Comment? Ils l'ignorent. Mais moi je le sais. J'ai reçu beaucoup d'amour et de soutien moral, et j'ai décidé de changer. Cela m'a sauvé la vie.

Howard J. Fuerst, M.D.

L'espoir

Là où il y a de la vie, il y a de l'espoir.

Marcus Tullius Cicero

Un matin, alors que je déjeunais, je surpris la conversation de deux oncologues. L'un d'eux se plaignait, découragé :

« Tu sais, Bob, je ne comprends vraiment plus rien. Nous avons administré les mêmes médicaments, suivi la même posologie, le même schéma posologique et les mêmes critères d'admission dans l'essai clinique. Pourtant, je n'ai obtenu qu'un taux de réponse de 22 pour cent, tandis que toi, tu as obtenu un taux de 74 pour cent. Un pareil résultat n'avait encore jamais été atteint dans le cas d'un cancer métastatique. Mais comment fais-tu ? »

Son collègue lui répondit : « Tous les deux, nous utilisons de l'Étoposide, du Platinol-AQ, de l'Oncovin et de l'Hydroxyurea. Toi, tu appelles ça du EPOH; moi, je dis à mes patients que je leur administre du HOPE*. »

Aussi sombres que peuvent être les résultats statistiques, je dis qu'il faut toujours espérer.

William M. Buchholz, M.D.

---

* N.D.T. : HOPE : espoir.

Amy Graham

Il y a plusieurs années, après être parti de Washington, D.C., et avoir passé toute une nuit dans l'avion, j'arrivai complètement exténué à l'église Mile High de Denver, pour diriger trois offices et animer un atelier portant sur le sentiment de prospérité. Quand je suis entré dans l'église, le Dr Fred Vogt m'apostropha pour me demander si j'avais déjà entendu parler de Make-a-Wish Foundation. Je lui répondis que oui.

« Amy Graham a été diagnostiquée avec une leucémie en phase terminale. Ils lui ont donné trois jours à vivre, et sa dernière volonté est de venir assister à vos offices. »

Quelle ne fut pas ma surprise en entendant cela. Je me sentais à la fois heureux, bouleversé et incrédule. Je croyais que les dernières volontés des enfants mourants étaient plutôt d'aller visiter Disneyland, ou bien de rencontrer Sylvester Stallone, Mr « T » ou Arnold Schwarzenegger. Mais sûrement pas de venir passer leurs derniers jours à écouter Mark Victor Hansen. Pour quelle raison une enfant qui n'avait plus que quelques jours à vivre voulait-elle venir écouter un conférencier spécialiste de la motivation ? Je ne savais plus quoi penser…

« Voici Amy », me dit Vogt en déposant la main fragile de la jeune fille dans la mienne. Elle était âgée de 17 ans, et avait un foulard aux couleurs éclatantes, rouge et orange, enroulé autour de sa tête devenue chauve par suite des traitements de chimiothérapie. Son corps voûté paraissait fragile et sans vigueur. Elle me dit que ses deux objectifs avaient été, premièrement, de terminer ses études secondaires et deuxièmement, de venir écouter mon sermon. « Mes médecins ne croyaient pas que j'aurais la force de faire l'un ou l'autre. On m'a confiée aux soins de mes parents. Je vous présente maman et papa. »

Mes yeux se remplirent de larmes, j'avais la gorge nouée. Je me sentais complètement ébranlé et très ému. Je m'éclaircis la gorge, souris et leur souhaitai la bienvenue en les remerciant d'être venus. Nous nous sommes embrassés et avons séché nos larmes avant de nous quitter.

J'ai déjà eu l'occasion d'assister à de nombreux séminaires sur la guérison, aux États-Unis, au Canada, en Malaisie, en Nouvelle-Zélande et en Australie. J'ai pu observer les meilleurs guérisseurs à l'œuvre. J'ai étudié, fait des recherches, écouté, réfléchi et posé des questions pour comprendre ce qui faisait effet, ainsi que le pourquoi et le comment.

Ce dimanche après-midi, j'animai un séminaire auquel Amy et ses parents assistèrent. La salle était pleine à craquer, avec plus de mille participants désireux d'apprendre, de grandir et de devenir plus pleinement humains.

Je demandai humblement aux gens s'ils voulaient que je leur fasse part d'un procédé de guérison qui pourrait leur servir toute leur vie. De l'estrade où je me tenais, je pouvais voir que toutes les mains étaient levées bien haut. C'était l'unanimité, ils voulaient tous apprendre.

Je leur montrai comment se frotter les mains avec vigueur, puis les écarter l'une de l'autre d'environ cinq centimètres pour sentir l'énergie thérapeutique. Puis, je leur demandai de se mettre deux par deux pour sentir l'énergie thérapeutique qui émanait d'eux-mêmes vers une autre personne. « Si vous avez besoin d'une guérison, acceptez-en une ici et maintenant », leur dis-je.

Les gens étaient en communion, et un sentiment d'exaltation passa dans l'assistance à ce moment-là. Je leur expliquai que tous nous possédions une énergie thérapeutique et un potentiel de guérison. Mais cinq pour cent d'entre nous en possèdent une telle quantité qu'ils pourraient, s'ils le voulaient, en faire leur profession.

« Ce matin, j'ai fait la connaissance d'une jeune fille de 17 ans, Amy Graham. Sa dernière volonté était de venir assister à ce séminaire. J'aimerais qu'on l'aide à monter jusqu'ici pour que vous puissiez lui communiquer votre force vitale de guérison. Nous pourrions peut-être l'aider. Ce n'est pas elle qui me l'a demandé. C'est moi qui ai décidé spontanément de le proposer, parce que je sens que ce serait une bonne chose », dis-je.

L'assistance se mit à scander : « Oui! Oui! Oui! » Amy monta alors sur l'estrade avec l'aide de son père. Tous ces traitements de chimiothérapie, beaucoup trop de temps allongée au lit et un manque flagrant d'exercice — les médecins lui avaient interdit de se lever pendant les deux semaines qui ont précédé ce séminaire — l'avaient rendue si frêle.

Dans l'assistance, les gens se frottèrent les mains pour les réchauffer et lui communiquèrent leur énergie thérapeutique, puis ils se levèrent tous pour l'ovationner, les larmes aux yeux.

Deux semaines plus tard, elle m'appela pour me dire qu'elle était en rémission complète et qu'elle était sortie de l'hôpital. Deux ans plus tard, elle m'appela pour me dire qu'elle allait se marier.

J'ai appris à ne jamais sous-estimer notre pouvoir de guérison. Il est toujours à notre disposition pour que nous l'utilisions à faire le plus grand bien. Il suffit de ne pas l'oublier et de l'utiliser.

Mark Victor Hansen

Reproduit avec la permission de Harley Schwadron.

Wild Bill

J'ai toujours cru que j'allais vivre jusqu'à 83 ans! Pourquoi 83 ans? Je n'en sais rien, mais maintenant je serai reconnaissante si je peux vivre jusqu'à 58 ans. Quand j'aurai 58 ans, Rachel aura 12 ans, ce qui veut dire qu'elle sera assez vieille pour comprendre ce qui se passe. Ce n'est jamais facile de perdre sa mère — même si sa « maman » est en réalité une tante.

À présent, je suis reconnaissante pour chaque journée que je vis. Chaque matin, quand mon réveil arrête de sonner, je reste couchée quelques minutes. Quelle que soit la température, je suis contente de pouvoir étirer mes jambes, de donner une petite tape à mon chien et de remercier Dieu de m'accorder une autre journée. Je préfère les jours où les rayons de soleil passent à travers mes rideaux en dentelle. Mais j'aime aussi entendre la pluie marteler ma fenêtre, ou les branches d'arbres qui fouettent ma maison par la force du vent. C'est le matin où je me sens le mieux. C'est le matin qui me donne de l'espoir.

Il y a près de deux ans et demi, une tumeur qui s'était développée sur ma glande surrénale gauche s'est rupturée, au milieu de la nuit, me laissant à l'article de la mort suite à une très importante perte de sang. Alors que j'étais allongée sur la table d'opération, je me suis mise à penser à mes trois grands enfants, à mon travail laissé en suspens, et surtout à Rachel que j'avais laissée en larmes au beau milieu du salon, quand les ambulanciers m'ont transportée d'urgence à l'hôpital. D'une manière ou d'une autre, je survécus à l'opération, j'eus un rétablissement assez spectaculaire et je retournai travailler après six semaines. Rachel et moi reprîmes notre vie normale.

La tumeur était étrange. Mis à part le fait qu'elle était maligne, personne n'était capable de dire de quoi il s'agissait vraiment. Cinq grands centres médicaux furent incapables de l'identifier. Alors, je la surnommai « Wild Bill ».

Pendant un peu plus de deux ans, j'allai bien, sauf pour une occlusion intestinale qui nécessita un traitement non chirurgical. Tous les trois mois, je me rendais à Chicago pour consulter un oncologue qui me faisait passer des examens, desquels je ressortais toujours avec de bonnes nouvelles. Après quelque temps, je ne pensais plus beaucoup à « Wild Bill ».

Après le Nouvel An cette année-là, je commençai à me sentir excessivement fatiguée, mon dos me faisait plus mal que d'habitude et je faisais un peu de fièvre. Je fus admise à l'hôpital pour des examens. Tout, de la tuberculose (maladie à laquelle j'avais été exposée à mon travail) à une réaction arthritique, fut envisagé. Faisant partie de l'investigation, on me prescrivit une IRM (imagerie par résonance magnétique) de l'abdomen. L'examen, qui devait durer entre 45 minutes et une heure, dura deux heures et même plus. Ma tête et mon cœur battaient la chamade, et je pleurais à chaudes larmes. C'était la première fois que je pleurais sur ma maladie. J'étais incapable d'essuyer mes larmes, et personne n'était là pour me tenir la main, mais je savais que ce que les IRM révélaient n'avait rien de bon. Le jour suivant, une biopsie à l'aiguille d'une partie de la tumeur confirma que « Wild Bill » avait récidivé. Je me sentais perdue et déprimée. Je ne faisais que penser à Rachel.

Un chirurgien plutôt arrogant mais très compétent vint me voir. « Nous allons procéder à une laparotomie exploratrice pour voir ce qu'il en est et enlever ce que nous pourrons, mais je ne vous garantis rien », me dit-il.

Quand je repris connaissance après l'opération, j'entendis ces six mots décevants et désespérants : « Nous n'avons pas pu tout enlever. » Il leur restait à m'expliquer ce qu'ils avaient pu enlever et ce qu'ils n'avaient pas pu enlever. Je reçus quatre versions différentes selon les personnes auxquelles je m'adressais. C'était exaspérant.

Au début, mon rétablissement était chargé d'un terrible sentiment de tristesse dont je ne pouvais me débarrasser. Je maigrissais à vue d'œil et j'étais incapable d'avaler quoi que ce soit. Je n'arrivais pas à dormir non plus ; j'avais trop mal pour pouvoir me tourner ou même bouger, alors je restais immobile comme une planche toute la nuit. Même si ma famille, mes amis et mes collègues m'apportaient tous leur soutien, je n'avais plus d'espoir. J'étais même déçue de ne pas être morte le jour où la première tumeur s'était déchirée.

Je ne peux pas dire que je me suis ressaisie rapidement. Ce fut plutôt une ascension progressive. Je commençai les traitements de chimiothérapie, et même si j'avais peur, cela me redonnait espoir. Lire des livres me fut très bénéfique — combien d'histoires j'avais lues de cas désespérés qui avaient été guéris ou qui avaient vécu au-delà de leurs espérances. Et bien vécu en plus. Je commençai à me sentir mieux. Avec l'aide d'un ami et d'un prêtre bienveillant, je réappris à prier. Rachel et moi priions ensemble tous les soirs. J'arrêtai de regretter ne pas être morte lors de cette terrible nuit de décembre 1992.

Au cours des deux dernières années, combien de bonnes choses sont arrivées que j'aurais pu manquer. Mon fils aîné a publié son premier livre, la carrière d'acteur de mon plus jeune fils a redémarré, et ma fille et son ami se sont construit une belle demeure pour leur future vie commune. Rachel a appris à faire de la bicyclette et à lire, et j'ai renoué une vieille amitié avec une personne qui m'était chère. Les choses que j'avais l'habitude de tenir pour acquises devinrent importantes à mes yeux. Ma sœur est revenue de Californie et nous avons la chance de nous voir tellement plus souvent maintenant. Si j'étais morte cette nuit-là, je n'aurais pas été là pour dire au revoir à mon père, qui est décédé l'automne dernier. Rachel ne se serait peut-être jamais remise de tous ces événements si traumatisants et si soudains.

Ce que je sais aujourd'hui, c'est que nous ne pouvons jamais être sûrs de rien. Alors maintenant, quand je me réveille, je suis reconnaissante, quel que soit le temps qui m'est offert. Je nourris les oiseaux et les chats errants. Je cueille des fleurs et j'en plante. J'appelle mes sœurs et mes amis. J'aide Rachel à faire ses devoirs. De jour en jour, je reprends des forces. Je pense maintenant que le mot le plus important est « espoir ». Si j'ai de l'espoir, je peux faire de mon mieux pour faire tout ce qu'il faut pour prendre du mieux.

Mary L. Rapp

Le cancer a été une bénédiction

Vous acquérez force, courage et assurance chaque fois que vous décidez d'affronter la peur bien en face. Vous êtes capable de vous dire à vous-même « J'ai réussi à passer à travers cette horreur, je suis donc capable d'affronter ce qui est à venir. »

Eleanor Roosevelt

« Je tiens à vous le dire tout de suite, n'essayez pas de sauver mon sein et de mettre ma vie en danger, je peux vivre sans un sein. » C'est ce que je dis à mon oncologue lorsqu'il diagnostiqua mon cancer du sein.

Je reçus ce diagnostic d'un cancer inflammatoire du sein à l'âge de 38 ans. Ce genre de cancer est très rare et très agressif. Il compte pour un à six pour cent de tous les cancers du sein et il a un taux de récidive très élevé. On me dit que les médecins pouvaient me faire suivre des traitements de chimiothérapie et me faire entrer en phase de rémission, probablement pour une période allant de trois à cinq ans. Après la rémission, j'aurais très probablement une rechute et alors il n'y aurait aucun moyen d'éradiquer le cancer. Je dis à l'oncologue que je voulais avoir le meilleur traitement qu'il connaisse et que j'étais prête à faire n'importe quoi. Il était hors de question que j'accepte un rétablissement qui ne durerait que de trois à cinq ans.

Mon médecin m'informa du protocole agressif qui était employé par le Dana Farber Cancer Institute, à Boston, et il le recommandait pour traiter ce type de cancer du sein dont je souffrais.

Le protocole exigeait que je suive des traitements de chimiothérapie lourde trois jours par semaine, une semaine sur deux pour une période de quatre cycles. Après cela, je serais admise à Dana Farber pour des traitements de chimiothérapie à hautes doses et une transplantation de moelle osseuse. Ce qui voulait dire que j'aurais besoin de subir une mastectomie modifiée radicale suivie de six semaines d'irradiation. Inutile de vous dire que j'étais en état de choc. Je savais que ce serait terrible, mais je n'aurais jamais imaginé cela aussi terrible. Quand il me dit que j'avais besoin d'une transplantation médullaire, je sus que mon cancer était plus grave que je ne l'avais d'abord cru.

Après avoir reçu le diagnostic du chirurgien et avant que je consulte l'oncologue, je fis plusieurs promenades avec ma petite-fille, alors âgée de cinq mois. Nous nous promenions toutes les deux et je lui parlais. Quand j'étais dehors avec elle, mes pensées étaient plus claires et je pris plusieurs décisions alors que j'étais en sa compagnie. C'est vrai qu'elle n'était qu'un bébé, mais elle écoutait très bien. Je finis par décider que je ne pouvais pas continuer à pleurer en demandant à Dieu : « Pourquoi moi? Pourquoi maintenant? »

Cela aurait été très facile de m'apitoyer sur mon sort, mais je me rendis compte que toutes ces pensées n'étaient pas du tout productives. Je réalisai que je devais foncer tête première et me battre pour avoir une chance de faire partie de la vie de ma petite-fille, pour de nombreuses années à venir. Je lui dis que je ne partirais pas, et que sa mamie serait toujours là pour elle. Elle était une des principales raisons pour lesquelles j'étais prête à me battre et à faire tout ce que je pouvais pour vaincre le cancer. Quand le médecin me demanda si j'étais prête à me soumettre à ce très difficile protocole, je lui répondis oui sans hésitation.

En juillet 1993, après une consultation au Dana Farber Institute à Boston et après avoir accepté le protocole,
je commençai les traitements de chimiothérapie. En
novembre, je fus admise à Dana Farber pour les traitements de chimiothérapie à hautes doses et une transplantation de moelle osseuse. Heureusement, je n'eus pas
de réactions secondaires trop importantes suite à la
transplantation et je pus rentrer chez moi pour l'Action
de grâces. Je m'étais fixé comme objectif d'être à la maison avec ma famille pour mon jour de fête préféré de
l'année. Après mon rétablissement, je subis une mastectomie modifiée radicale au début du mois de janvier 1994.
À ce moment-là, la pathologie dans mon sein et mes ganglions lymphatiques ne révéla *aucune trace résiduelle de
cellules cancéreuses*. Ce furent les meilleures nouvelles
que nous aurions pu espérer. J'eus ensuite six semaines
d'irradiation. Le protocole se termina en avril, et en juin
je retournai travailler, après un an de congé de maladie.

Le cancer m'a changée de plusieurs manières. Ma
vision des choses de la vie est tellement plus claire maintenant. Je ne réalisais pas à quel point je considérais la
vie et la santé acquises jusqu'à ce que la mienne soit
menacée. Maintenant, chaque jour est un cadeau, et je
suis reconnaissante que ce temps me soit accordé. Quand
vous avez déjà eu le cancer, votre avenir est tellement
incertain. J'ai été confrontée au fait que je n'allais peut-
être pas vivre jusqu'à un âge avancé; pour cette raison, il
faut que je profite le plus possible du temps dont je dispose aujourd'hui. J'apprécie tellement plus la vie maintenant que j'ai eu le cancer.

Je réalise aussi combien je suis forte, même si je ne me
considérais pas comme telle auparavant. Tant de personnes me disent à quel point j'ai été forte et courageuse pour
passer à travers tout cela; et maintenant, quand j'y
repense, je me rends compte que j'ai fait ce qu'il fallait

pour survivre, comme n'importe qui d'autre l'aurait fait. Pour moi, ce n'était pas le courage qui me poussait à faire ce que je devais faire, mais plutôt l'instinct de survie. Maintenant que je peux prendre du recul et réfléchir, je réalise qu'il m'a fallu de la force et du courage pour affronter le cancer comme je l'ai fait — du courage et de la force dont j'ignorais l'existence.

Les côtés les plus importants de ma vie qui m'ont aidée à vaincre le cancer du sein sont l'amour et le soutien de ma famille. Sans les membres de ma famille, je ne sais pas comment je m'en serais sortie. J'avais tellement de raisons de rester en vie, et je n'étais pas encore prête à les quitter. Je n'étais pas prête non plus à les laisser vivre sans moi. Je voulais faire partie de leur vie pour de nombreuses années à venir. Savoir qu'ils étaient tous là pour moi, à m'apporter leur soutien, m'aida à passer à travers tous les traitements et tous les moments difficiles quand j'avais envie de tout laisser tomber. Ils étaient pour moi force, soutien, motivation et inspiration.

Si un jour l'un d'eux se voyait confronté au même diagnostic, ils feraient exactement la même chose. J'espère avoir été un exemple pour eux et les avoir encouragés. J'espère aussi qu'ils ont tiré des leçons de mon expérience, et que celles-ci les ont rendus plus forts. Je m'efforce d'aider les personnes qui ont à passer à travers ce même traitement; de les informer et de les éduquer face à ce traitement. C'est réconfortant de savoir que quelqu'un d'autre pourrait profiter de mon expérience. Ma mère me disait toujours que tout arrive pour une raison. Elle croit que si j'ai eu le cancer, c'est pour aider quelqu'un d'autre. Aujourd'hui, ma mission est d'aider les autres à surmonter le cancer et qu'en me voyant, ils se disent : *Si elle a réussi à passer à travers le cancer du sein et à survivre, alors moi aussi je peux le faire.*

Le cancer est une maladie redoutable; elle nous a privés de tant de personnes merveilleuses. J'ai un grand-père, deux tantes et une cousine qui sont décédés du cancer. Même si le fait de les perdre fut affreux, cela m'a aussi donné de la force. J'ai vu ce à travers quoi ils étaient passés et cela m'a rendue plus forte. J'étais décidée à ne pas subir ce qu'ils avaient enduré.

La veille de mon admission à Dana Farber pour mon traitement de chimiothérapie à hautes doses et la transplantation médullaire, j'allai au cimetière pour rendre visite à ma cousine qui n'avait que quatre ans de plus que moi quand elle est décédée, quelques semaines auparavant. Je m'agenouillai près de sa tombe pour lui promettre que j'irais à Dana Farber et que je passerais à travers cette transplantation, pour elle autant que pour moi. Je suis certaine que si elle avait eu l'opportunité de suivre les traitements que j'allais maintenant suivre, elle s'y serait soumise de plein gré, si cela voulait dire qu'elle allait vivre. Quand elle est morte, les gens s'inquiétèrent pour moi, mais je leur dis que sa mort allait me donner des forces, parce que j'avais décidé de la prendre comme exemple dès que j'appris que j'avais le cancer.

Même si je souhaite ne plus jamais avoir à vivre un autre diagnostic de ce genre, je peux tout de même dire que cela ne m'effraie plus autant. J'ai appris que l'on pouvait se battre contre le cancer et gagner. Bien que le cancer soit quelque chose d'épouvantable, dans mon cas ce fut aussi une bénédiction. Maintenant, je me sens plus forte et bien meilleure. J'ai tellement confiance et foi en moi maintenant. Je sais que je suis capable de faire n'importe quoi. Je peux faire face à tous les défis qui me sont lancés. Je n'ai qu'à les affronter, et ce, un jour à la fois.

Presque 18 mois sont passés depuis mon dernier traitement de radiothérapie, et je me sens tout à fait en forme. Plus en forme maintenant que je ne me suis sentie depuis plusieurs années. Parfois, je me sens tellement bien que j'en suis presque euphorique, comme si je flottais dans les airs. C'est merveilleux d'être de nouveau en santé. Quand j'ai reçu mon diagnostic, je me suis sentie comme la plupart des gens à qui l'on annonce qu'ils ont le cancer. C'était comme si j'avais reçu une condamnation à mort. Cancer voulait dire mort. Mais maintenant, je pense autrement. Je sais qu'on peut survivre à un cancer du sein.

Kimberly A. Stoliker

Cancer et choix de carrière

*Découvrir ce qui fait de vous un être exceptionnel,
découvrir le chemin qui a été tracé pour vous, c'est
votre travail sur cette terre, que vous soyez affligé
ou non. Mais quand vous réalisez que vous êtes
mortel, alors cette recherche revêt une certaine
urgence.*

Bernie S. Siegel, M.D.

Au bel âge de 27 ans, j'étais marié depuis six ans, je réussissais très bien ma carrière, dans le secteur de la restauration, j'étais sur le point d'acheter ma première maison et j'étais l'heureux papa de deux merveilleux enfants, un garçon et une fille.

À 43 ans, j'étais divorcé depuis deux ans; j'avais une petite entreprise prospère; j'entreprenais des démarches pour acheter une nouvelle maison; j'étais de nouveau amoureux, sur le point de me remarier et ainsi devenir l'heureux papa de deux autres adorables enfants.

Quinze ans plus tard, les enfants sont tous grands et toujours aussi merveilleux, mais tout le reste est parti — mariages, maisons, entreprises. Cependant, je suis maintenant un agent immobilier qui réussit et je sais avec certitude que, le moment venu, je récupérerai tout ce que j'ai perdu.

Maintenant, essayons de mettre de l'ordre dans les choses que je veux faire : continuer à faire plein d'argent, trouver la femme qu'il me faut, acheter une nouvelle maison, fonder une nouvelle famille, et ma vie sera comblée, n'est-ce pas? Eh non! À ce point de mon raisonnement, je serai toujours persuadé que Dieu baissa les bras : « C'est tout! Mais qu'est-ce que je dois faire? Foudroyer mon enfant? Une minute, j'ai trouvé. Je vais lui envoyer une maladie qui va mettre sa vie en danger et le remettre sur le droit chemin. Soit ça ou ça le tuera. Que faire? Quelle méthode dois-je employer? Le cancer, c'est ça, le cancer. Mais quel genre de cancer? Un cancer qui mettra non seulement sa vie en danger mais aussi sa virilité. Cela le fera réagir. Oui, c'est ça, le cancer de la prostate. Je sais toujours ce qu'il faut faire. »

Je ne peux trouver aucune autre explication que celle-ci : la nécessité suscitée en moi par la Divine Providence de passer un examen médical complet, à laquelle s'est ajouté le besoin d'être rassuré sur le fait que je n'étais pas en train de perdre ma virilité — d'accord, d'accord, de devenir impuissant — ont permis le dépistage de mon cancer de la prostate. D'autres examens révélèrent qu'il était possible d'opérer la partie cancéreuse; mais si je ne réagissais pas rapidement et si je laissais le cancer se propager, je n'aurais plus qu'à compter les mois qu'il me resterait à vivre, les jours passés à l'hôpital, à suivre des traitements douloureux et épuisants. Mes médecins m'expliquèrent toutes les options qui existaient — du moins celles que la science avait à offrir. La meilleure option semblait être l'ablation complète de l'organe atteint. Je ne serais le père biologique d'aucun autre enfant, puisque c'est la glande de la prostate qui produit le sperme, lequel transporte les spermatozoïdes. À vrai dire, je pouvais vivre avec ça. De plus, quelle que soit la mesure curative, elle pouvait me rendre incontinent, voire impotent; c'était justement ce que j'avais besoin d'entendre, mais je pouvais vivre avec ça aussi.

Maintenant, il faut que je vous dise que nous avons tous reçu des talents ou des dons particuliers — habituellement, il y en a un qui est plus exceptionnel que les autres. J'avais déjà pris conscience et exprimé mes talents d'homme d'affaires, de membre actif de la société et de père de famille. J'étais allé à tel endroit, j'avais fait telle chose — mais pour ce qui est de mon talent le plus exceptionnel, l'expression non refrénée de mon imagination fertile par la création littéraire et cinématographique, ce talent-là, je l'avais complètement négligé. Lorsqu'ils me transportèrent dans la salle d'opération, je sentis l'impatience de Dieu ; c'est alors que je conclus un pacte avec mon Créateur. Je ferais mon possible pour développer pleinement les dons, les talents et les aptitudes que Dieu m'avait donnés, s'Il voulait bien permettre que je sorte d'ici vivant. Je fis le serment que dorénavant je ne perdrais plus mon temps à refaire ce que j'avais déjà prouvé savoir bien faire, que je ne freinerais plus la réalisation et l'expression de mes talents artistiques, puisqu'il semblait évident que c'était justement pour les partager avec les autres que j'étais sur la terre.

Dans le respect de mon engagement, je vous écris ce bref compte rendu pour vous dire que le cancer ne s'est pas propagé, l'opération fut un succès, il ne reste aucune trace de cellules cancéreuses dans mon organisme. Le fait de sentir que ma vie était en danger m'a poussé à faire des choses que je n'aurais jamais faites avant — créer au meilleur de mon talent, en terminant mon premier roman et en assistant à la réalisation d'un film tiré de ma propre création littéraire.

Présentement, j'ai un emploi régulier que j'appelle mon « emploi de jour ». Il apporte de la nourriture sur la table, garde un toit sur ma tête et me permet même de faire des petites folies, comme me procurer le meilleur matériel possible pour m'aider à produire le travail que j'ai choisi et le temps pour m'y adonner. Je n'ai jamais été aussi heureux. L'exaltation et le ravissement qui remplissent ma vie viennent du fait que je suis conscient d'honorer mon vrai moi et de saisir cette deuxième chance pour accomplir le destin de ma vie — exprimant avec succès, par mon travail d'écrivain, ma passion non refrénée. En fait, c'est exactement ce que je fais à l'instant même.

Robert H. Doss

C'est aujourd'hui
la plus belle époque

Le 10 avril 1995, mon frère Jonathan, âgé de 36 ans, qui avait été en très bonne santé jusque-là, eut une crise alors qu'il déjeunait à son bureau. Fort heureusement, la chef de bureau entendit un bruit sourd, alla voir dans le bureau de mon frère et le trouva allongé sur le plancher. Elle signala le 911 aussitôt. Je gardai mes deux jeunes nièces, Heather et Elizabeth pendant que ma mère et l'épouse de mon frère, Cindy, partirent en vitesse pour l'hôpital. On nous dit qu'il était conscient et qu'on allait procéder à des examens pour déterminer la cause de cette attaque.

Le premier appel fut pour nous dire que les résultats des examens habituels étaient négatifs, mais qu'il y avait une zone grise sur la scanographie cérébrale qu'ils souhaitaient revérifier. « Une tumeur cérébrale » pensai-je, en regardant ses deux jeunes enfants qui jouaient. Quand Cindy rappela, c'était pour confirmer l'impensable.

Je dis à Heather que son papa devait rester à l'hôpital pour la nuit. Elle se mit à pleurer. J'essayais de la rassurer en lui disant que tout irait bien. Que pouvais-je lui dire d'autre? Tout devait bien aller. Tout irait bien.

Je rassemblai les affaires des filles et me dépêchai de les emmener chez moi pour la nuit. Une tumeur cérébrale? C'était difficile à comprendre. Assise dans la cuisine à manger une soupe aux nouilles, l'aînée se remit à pleurer. Je la pris dans mes bras et elle s'accrocha à moi, quelque peu apaisée. La plus jeune, qui en était encore à l'âge de l'heureuse insouciance, ne comprenait pas la gra-

vité de la situation. Plus tard dans la soirée, nous man-
geâmes du pop-corn en regardant *Le roi lion*. Puis l'aînée
me demanda de dormir avec elle cette nuit-là.

Un jour, à son réveil, la semaine avant sa crise, Jonathan s'était senti malade, désorienté et souffrant. Lui et
Cindy attribuèrent ces symptômes à de la déshydrata-
tion; quant aux douleurs qu'il avait dans le dos, ils se
dirent que c'était sûrement parce qu'il avait porté sa fille
aînée sur ses épaules au zoo. Une « tumeur cérébrale »
n'est pas quelque chose qui vous vient à l'esprit si facile-
ment. Comment pouvait-il savoir qu'il avait eu une crise
dans son sommeil la nuit précédente. Après quelques
jours, tout était rentré dans l'ordre.

Toutes les informations que nous avions reçues
jusque-là donnaient à croire qu'il s'agissait bien d'une
tumeur cérébrale. Elle était énorme. Ils affirmaient
qu'elle avait la taille d'un gros œuf ou d'une petite orange.
Sa taille et sa forme montraient qu'il s'agissait d'une
tumeur bénigne et non cancéreuse. Elle s'était développée dans la tête de mon frère pendant, semblerait-il,
environ deux à trois ans, sans qu'il n'ait eu de symptômes
significatifs.

Jonathan allait être opéré le jeudi suivant par un chirurgien réputé. Je lui rendis visite le mercredi pour lui
apporter des fleurs et des vœux de rétablissement de ma
part, et de la part de notre sœur qui vivait dans un autre
État. Il avait très mauvaise mine et avait l'air désorienté.
Il me dit que la tumeur était rattachée à une membrane
adjacente au cerveau. « Au moins, elle n'est pas rattachée
au cerveau », me suis-je dit.

Jeudi, nos parents, Cindy et moi-même nous sommes
rendus à l'hôpital très tôt le matin pour souhaiter bonne
chance à Jonathan avant qu'ils ne le préparent pour
l'opération. Ils nous dirent que l'opération allait durer

entre deux et cinq heures. Deux heures si la tumeur était molle et facile à enlever, cinq heures si elle était dure et qu'elle devait être enlevée avec plus de précaution. Quand le chirurgien commença à opérer, il s'aperçut que la tumeur était dure et qu'elle était rattachée au cerveau. Un morceau du crâne de dix centimètres par dix centimètres devait être enlevé. L'opération dura cinq bonnes heures.

Dans l'heure qui suivit l'opération, nous pûmes voir Jonathan. Il avait l'air étonnamment en forme pour quelqu'un qui venait de subir une chirurgie cérébrale. Bien que sa tête fût enveloppée de bandages, il n'avait même pas perdu tous ses cheveux.

Le samedi suivant, il était prêt à sortir de l'hôpital. Je suis allée dîner chez lui le dimanche de Pâques. Avec toutes les fleurs qu'il avait reçues, sa maison ressemblait à celle d'un fleuriste. Au moins une vingtaine de personnes étaient présentes. Cindy avait planifié un merveilleux repas, pour donner congé à son mari, lui qui avait l'habitude de cuisiner. Heather et Elizabeth étaient rentrées de leur séjour chez leurs autres grands-parents et elles avaient l'air très heureuses d'avoir de nouveau leur père auprès d'elles. Je fis une blague en disant qu'il était un cas vraiment rare : un spécialiste des fusées qui a subi une chirurgie au cerveau.

En tant que membre de la génération de l'après baby-boom (née en 1963), je me lasse parfois d'entendre parler « du bon vieux temps », alors que tellement de choses sont meilleures maintenant. C'est aujourd'hui la plus belle époque, et mon frère en est la preuve vivante.

Joanne P. Freeman

2

COURAGE
ET DÉTERMINATION

Si l'on me demandait de donner
ce que je considère être
le conseil le plus utile
pour l'humanité entière,
je dirais ceci :
dans la vie, attendez-vous à des problèmes,
car ils sont inévitables.
Et quand l'un d'eux surgit,
gardez la tête haute,
regardez-le droit dans les yeux et dites :
« Je suis plus fort que toi. Tu ne m'auras pas! »

Ann Landers

Pas sans me battre

La vie, c'est ce qui arrive quand vous êtes occupé à faire d'autres projets.

John Lennon

Ma vie fut incroyablement remplie jusqu'en juillet 1992. Mère de sept enfants, j'enseignais à temps plein et j'étais en faveur de la réhabilitation des foyers pour personnes âgées. J'étais optimiste, invincible et je comptais beaucoup sur ma chance irlandaise pour le rester.

Au début du printemps, je me rappelai que je n'étais pas allée passer de mammographie depuis plusieurs années déjà. Quelques semaines plus tard, ma fille aînée apprit que l'Université Loyola, à Chicago, lui offrait une bourse pour qu'elle poursuive ses études en maîtrise. Elle m'invita à l'accompagner à Chicago pour se trouver un appartement. J'étais très excitée, car vu la taille de ma famille, nous avions rarement l'occasion de passer beaucoup de temps seules, toutes les deux.

En consultant mon agenda, je me rendis compte que j'avais un rendez-vous le même jour, à 10 heures, pour un bilan de santé. J'eus envie de l'annuler et de le reporter à plus tard, toutefois je décidai que je n'avais qu'à y aller, faire ce que j'avais à faire, puis partir pour Chicago sans plus tarder.

Le jour de l'examen médical, tout se déroula normalement, jusqu'à ce que le technicien revienne dans la pièce et me dise : « Madame Brindell, je souhaiterais prendre une deuxième photographie de votre côté gauche. » Mécontente d'avoir à passer à travers un autre examen douloureux, j'acquiesçai, hésitante. Le temps passait très vite, et je commençai à regarder l'heure. Ces gens ne savaient-ils pas que j'avais un rendez-vous important avec ma fille? Je ne voulais pas la décevoir. J'envisageai même pendant un instant de me rhabiller et de sortir. Après tout, ce n'était pas ma faute si le technicien n'était pas capable d'obtenir une photo qui soit claire! Pour une raison ou pour une autre, je suis quand même restée, et le technicien revint pour me dire que le médecin voulait une autre photographie.

Cette fois, il voulait qu'elle soit prise plus en profondeur. « Mon Dieu! Vous dites que cette machine est l'une des plus récentes inventions technologiques suédoises! N'ont-ils donc pas de femmes à forte poitrine là-bas? Ça commence vraiment à me faire mal! », me plaignis-je. Ils répétèrent le même examen cinq fois encore. Mon torse me faisait souffrir. Je finis par leur demander ce qui se passait : « Il faut vraiment que je sois là-bas à 13 hres! »

Brusquement, le gentil technicien, qui jusque-là avait été si aimable, prit un ton plus grave pour me demander d'attendre, le temps qu'il aille chercher le radiologiste. Tout n'était plus que vide autour de moi, j'eus l'impression que le temps s'était arrêté.

Le radiologiste entrouvrit la porte pour me demander si je me souvenais de cette petite bosse que j'avais sur mon côté gauche : « Eh bien, elle a changé de taille et de densité », déclara-t-il.

« Qu'est-ce que cela veut dire, docteur? »

« Cela veut dire qu'il pourrait s'agir d'un cancer. J'aimerais procéder à une biopsie. Nous vous appellerons lundi pour fixer un rendez-vous. »

Bouleversée, je me rhabillai lentement. Pas moi! Il n'en est pas question! Pas à 48 ans. La vie ne faisait que commencer pour moi. Toutes les bonnes choses ne faisaient que commencer à arriver.

Alors que je rentrais chez moi en auto ce jour-là, je décidai de ne pas laisser les événements de la matinée gâcher la fin de semaine que j'allais passer avec ma fille, à Chicago. Au cours des jours qui suivirent, malgré tous les efforts que je faisais pour oublier, je sentais que dorénavant j'aurais un nouveau compagnon de route dont je me serais bien passée.

Après mon retour à St. Louis, tout se déroula très rapidement. La biopsie révéla que j'avais un cancer. L'homme avec qui je suis mariée depuis 24 ans est quelqu'un de très dévoué, mais quand il s'agit d'être un soutien moral dans les moments de stress, ne comptez pas sur lui. Quant aux enfants, ils continuèrent, eux aussi, à s'occuper de leurs petites affaires. Je me rendis vite compte que si je voulais me sortir de ce pétrin, j'allais devoir faire appel à toute la force intérieure qui fait des femmes irlandaises des femmes si courageuses. Et c'est exactement ce que je fis !

Le 8 juillet 1992, le jour de mon 25e anniversaire de mariage, on m'emmenait pour mon opération. Je me souviens d'avoir dit à mon mari :

« Eh bien, Bob, il y a des gens qui partent en croisière pour leur 25e anniversaire de mariage, moi je vais me faire opérer ! » Le lendemain, le chirurgien entra dans ma chambre pour me dire que j'avais deux types de cellules cancéreuses : des cellules à base œstrogénique et des cellules très agressives. Je réalisai alors que j'avais trouvé un adversaire à ma mesure, mais je refusai d'abandonner la partie sans me battre.

Mon rétablissement fut très douloureux. Je ne pouvais pas dormir. La douleur était continuelle. J'étais incapable de bouger mon bras. Ce n'est que très lentement que je décidai de prendre la situation en main. Je contactai un physiothérapeute qui me prescrivit des exercices pour faire travailler les muscles de mon bras, je rencontrai un nutritionniste pour décider d'un régime alimentaire plus sain, et je me préparai pour les traitements de radiothérapie à venir.

Aussi fou que cela puisse paraître, le lendemain de mon retour à la maison, je décidai d'installer un nouveau trottoir dans ma cour arrière. Chaque jour, avec un seul bras, je remplissais des seaux de morceaux de ciment. Il fallait que j'évalue mes forces. Je me fixais des objectifs et travaillais avec acharnement pour les atteindre. Après tout, je devais reprendre mon travail de professeur, et ce n'était pas le cancer qui allait m'arrêter.

Je me présentais à mes séances de radiothérapie chaque après-midi, après mes journées complètes d'enseignement. Je m'efforçai de ne manquer aucune journée de travail pendant cette période-là. Je ne voulais pas que mes collègues pensent que, parce que j'avais le cancer, je n'étais plus une bonne enseignante.

Au mois d'octobre 1992, je pensais avoir gagné la bataille. Mais au début du mois de décembre, je me retrouvais une fois de plus dans le bureau du chirurgien pour un nouveau bilan de santé. Nous étions en train de discuter, quand il se pencha vers moi, palpa mon cou et dit :

« Depuis quand avez-vous cette bosse? »

« Depuis environ un an. Mon médecin habituel pense qu'il s'agit d'un nodule arthritique. »

Je remarquai son air soucieux quand il recommanda qu'il soit enlevé. Ma famille insista pour que je prenne un jour de congé et que je suive les conseils du médecin. Une autre biopsie, quelle perte de temps! Noël était tout près et j'étais très occupée à préparer les festivités.

Une fois de plus, on me transporta dans la salle d'opération. Cette fois, un cancer thyroïdien fut diagnostiqué. Encore des points de suture, encore des thérapies et encore des souffrances. Je me sentais abattue, mais pas vaincue!

Je me rappelle m'être dit, dans la solitude de mon salon, que mon premier cancer avait été un coup de chance. La deuxième fois, quelque chose me dit de mettre de l'ordre dans ma « maison ». Je décidai qu'il était important de pleurer, mais que si je me laissais aller à m'apitoyer sur mon sort, le temps qui me resterait à vivre serait bien déprimant.

Je me fixai de nouveaux objectifs. Qu'est-ce que je voulais vraiment faire du reste de ma vie? J'avais toujours pensé qu'enseigner au niveau collégial serait passionnant. Le lendemain soir, je commençais à donner mes premiers cours. J'étais très heureuse de cette réalisation.

Je pris de bonnes résolutions et décidai de profiter des choses simples de la vie. Je prends du temps dans mes heures de ménage pour assister aux parties de soccer de mes enfants. J'aime sentir la brise de l'automne caresser mon visage pendant que mon fils joue au ballon. Je prends plaisir à voir les arbres se vêtir de feuilles au printemps. Les plaisirs simples procurent une immense joie. Cet été, alors que j'attendais que débute une partie de baseball, j'allai marcher près du ruisseau qui se trouvait juste à côté, j'enlevai mes souliers et je marchai dans l'eau. Alors que l'eau fraîche et transparente du ruisseau me passait sur les pieds, je réalisai combien le plan de Dieu était simple, et à quel point nous les humains, nous compliquions les choses.

J'ai appris la compassion. Je sais maintenant que dans l'évolution du temps, tous les êtres humains aspirent à un même et seul but. J'ai un sentiment de paix intérieure que je n'avais jamais connu auparavant. Rien n'a vraiment d'importance, sauf ces vérités qui existent au fond de notre cœur. Il vous suffit d'aller voir au fond de vous-même pour les trouver.

J'essaie vraiment de ne pas être triste. Quand les problèmes surgissent, je me dis qu'ils ne dureront qu'un temps, et que tout finira par rentrer dans l'ordre.

Aurais-je appris cette leçon si je n'avais pas eu le cancer? Probablement pas! Qu'est-ce qui attend le survivant? La vie, l'apprentissage et l'amour.

Mary Helen Brindell

Génie du Nintendo

Lorsque je t'ai aperçu pour la première fois, j'ai pensé : génie du Nintendo. Il y avait cette intensité en toi. Tes yeux bleus perçants, l'agilité avec laquelle tes doigts se déplaçaient sur les commandes, autant de détails qui me révélèrent tes talents d'expert.

Tu n'avais pas l'air très différent de tous ces autres jeunes de dix ans, fous des jeux vidéo, mais tu l'étais. Je pense que le fait que ce soit l'été, et que nous soyons tous les deux bloqués dans la section oncologie de l'hôpital trahissait cruellement l'air naturel que tu essayais de te donner. Ou peut-être était-ce le fait que nous soyons tous les deux prématurément privés de l'innocence de notre enfance, et que cela me réconfortait de savoir qu'il y avait quelqu'un d'autre ici qui était comme moi. Je ne peux qu'émettre des hypothèses, mais ce dont je suis certaine, c'est que j'étais attirée par ton énergie et ton goût de vivre.

C'était l'été de mes premières chirurgies postcancéreuses. Les médecins essayaient de remettre en état l'articulation de ma hanche gauche, qui avait volé en éclats sous les bombardements intenses des traitements de chimiothérapie. Ce n'était pas la seule chose qui avait été détruite. J'avais aussi perdu mon attitude optimiste habituelle face à la vie, et j'étais étonnée de voir à quel point je pouvais être agressive. Ce qui n'a pas du tout aidé à me faire aimer de qui que ce soit.

Mon opération se déroula « très bien », dirent les médecins, mais moi je souffrais horriblement. (L'écart qui existe entre la vision du médecin et celle du patient est une chose tout à fait incroyable.)

Ce n'est que lorsque je t'ai revu en physiothérapie que je réalisai à quel point le cancer avait ravagé ton organisme. J'aurais voulu m'écrier :

« Laissez-le donc retourner dans sa chambre pour qu'il puisse jouer à ses jeux vidéo, bande d'idiots! » Mais je restai assise dans un silence consterné. Je t'ai regardé te lever et commencer à marcher en t'aidant avec les barres parallèles. Avant que tu ne rentres dans la chambre, j'étais assise dans mon fauteuil roulant à m'apitoyer sur mon sort. « Le cancer n'est-il donc pas suffisant? Maintenant ma hanche est pleine de vis et je m'en fiche complètement. Je vais mourir si jamais j'essaie de me lever. »

Tu ne sauras jamais qui je suis, mais tu es mon héros, génie du Nintendo. Avec quel courage et quelle prestance tu t'es levé sur ton unique jambe. Il y en aura sûrement qui auront l'audace de te traiter d'infirme ou d'estropié, mais tu es plus entier que beaucoup ne pourront jamais espérer l'être. Après ta promenade quotidienne — une promenade que tu avais exécutée à merveille — alors que tu étais en sécurité, bien installé dans ton lit à t'amuser de nouveau avec tes jeux vidéo, je décidai qu'il était temps de me lever, moi aussi, et d'aller me promener.

Tu vois, génie du Nintendo, je me suis alors rendu compte que, tout naturellement, tu savais une chose qui peut prendre aux autres presque toute une vie à comprendre — la vie est comme un jeu, on ne gagne pas à tous les coups, mais le jeu ne s'arrête pas, obligeant ainsi tout le monde à y jouer. Génie du Nintendo, c'est toi le meilleur!

Katie Gill

Lutter — la bataille d'un seul homme contre une tumeur au cerveau

Il tenait la perceuse dans sa main gauche, il positionna la mèche, appuya sur l'interrupteur et commença à travailler. Un trou. Deux trous. Puis, un troisième. On aurait dit qu'il était en train de monter des étagères ou de refaire le sous-sol. Mais il ne s'agissait pas de n'importe quel bricoleur. Il s'agissait d'un chirurgien du cerveau, et c'était dans ma tête qu'il perçait des trous.

Je restais éveillé, allongé sur la table d'opération, j'attendais et j'écoutais tandis que la mèche transperçait mon crâne. Je ne ressentais aucune douleur, il y avait seulement cette petite sensation d'inconfort ainsi qu'un petit bruit sourd chaque fois que la mèche traversait la dure-mère (tissu fibreux qui recouvre le cerveau).

Le chirurgien finit de percer, puis inséra un cathéter contenant cinq graines radioactives, dans chaque trou. Une fois que les puissantes graines furent insérées, on prit un rayon X pour vérifier qu'elles étaient bien en place. Satisfait de leur position, le chirurgien recousut les blessures de ma tête.

Son « projet » était terminé. Ma tumeur maligne au cerveau était officiellement attaquée.

Ce cauchemar commença il y a environ quatre mois. J'avais alors 40 ans et je travaillais dur. J'avais à mon actif de longues heures de travail comme aumônier dans la section chirurgicale du Methodist Medical Center de Peoria, dans l'Illinois. En tant qu'aumônier d'hôpital, je travaillais avec les familles avant, pendant et après les interventions chirurgicales. Pendant les opérations, nous allions et venions entre la salle d'opération et la salle d'attente, informant les familles sur le déroulement de l'intervention. C'était une excellente manière de calmer l'anxiété et de rendre cette expérience aussi positive que possible pour les proches.

Mon travail était vraiment très satisfaisant, mais il était aussi très exigeant. Mes collègues et moi-même étions « de garde » 24 heures sur 24, sept jours sur sept. Lors de certaines interventions — particulièrement les interventions à cœur ouvert — nous pouvions faire l'aller-retour de la salle d'attente à la salle d'opération pendant parfois 20 heures ou plus d'affilée. À force de travailler dans de telles conditions, ce n'était pas surprenant que j'aie plus que ma part de maux de tête.

La plupart du temps, j'essayais d'ignorer le mal de tête et de le faire disparaître avec une ou deux aspirines. Mais au printemps de 1987, les aspirines ne faisaient plus effet. Je voyais flou, je n'arrivais plus à épeler les mots correctement et je commençais à me cogner contre les meubles. Il était évident que le stress causé par mon travail commençait à m'affecter sérieusement. Je décidai alors de prendre rendez-vous avec mon médecin de famille pour un bilan de santé.

Le 21 avril, je passai un examen de routine ainsi qu'une série d'analyses du sang. Il n'y avait apparemment rien d'anormal. Le 7 mai, une IRM (imagerie par résonance magnétique) révéla la cause de mes maux de tête et d'autres symptômes. Il y avait une ombre, d'à peu près la taille d'une balle de golf, du côté gauche de mon cerveau.

Mon médecin de famille me fit part de la nouvelle avec le plus de franchise et de délicatesse possible. Il fit un croquis rapide de mon cerveau pour me montrer où exactement se localisait la tumeur.

« Vous aurez une biopsie la semaine prochaine, pour que nous sachions à quoi exactement nous avons affaire. Entre-temps, je veux que vous alliez faire remplir cette ordonnance et que vous preniez ce médicament pour éviter d'avoir des crises », m'expliqua-t-il. Beaucoup trop bouleversé pour parler ou poser des questions, je quittai son bureau et regagnai le mien. Là, je partageai la nouvelle avec ma secrétaire, puis je rentrai chez moi. J'étais complètement ébranlé, presque paralysé par le choc.

Plus tôt ce jour-là, ma femme, Pat, et nos enfants étaient allés rendre visite à des parents qui habitaient dans une autre ville. Je savais qu'il fallait que je les rejoigne, mais j'étais émotionnellement trop anéanti pour conduire.

Le président du service des soins pastoraux et sa femme eurent la gentillesse de m'accompagner. Nous arrivâmes chez mes beaux-parents tard dans la nuit. Quand Pat vint nous accueillir, elle devina que les nouvelles n'étaient pas bonnes.

Je peux à peine me souvenir de ce qui est arrivé par la suite. Lundi arriva; c'était le temps de rencontrer le chirurgien. Pendant notre brève entrevue, il me parla très franchement : « Il semblerait qu'il s'agisse d'un cancer très avancé. » Il m'encouragea à poser des questions, mais à cet instant précis, aucune ne me venait à l'esprit. J'étais encore trop hébété pour penser clairement.

Ma biopsie fut fixée pour le jour suivant et je fus admis à l'hôpital l'après-midi même. Parce que j'avais travaillé à cet endroit pendant sept ans, plusieurs membres du personnel étaient des amis; ils me prodiguèrent une aide et une attention toutes particulières.

Je me souviens d'un préposé aux soins qui vint me chercher pour une radiographie pulmonaire, la veille de la biopsie. Nous parlâmes en nous rendant au service de l'imagerie médicale, et quand nous revînmes à ma chambre, il me demanda s'il pouvait prier avec moi. Ce geste d'amour tout simple me toucha jusqu'aux larmes.

Après une nuit sans sommeil, je me levai tôt et priai : « Seigneur, donnez-moi s'il vous plaît le courage et la force de faire face à tout ce qui se présentera à moi aujourd'hui. »

Ce fut une journée épuisante, et ma souffrance ne fit qu'augmenter lorsque le chirurgien nous annonça, à Pat et à moi, que j'avais en effet un astrocytome de grade III (tumeur du système nerveux central), ce qui voulait dire que mon cancer était assez avancé et mon état, extrêmement sérieux. Puis, il se tut et attendit que je dise quelque chose.

Une voix venue de nulle part brisa le silence : « Combien de temps ? » murmura-t-elle. « De six à neuf mois », répondit le chirurgien. « Peut-être un an. »

Un autre long moment de silence... puis la voix reprit... : « Comment cela va-t-il se passer ? »

« Un jour, vous vous endormirez et vous ne vous réveillerez jamais plus », répondit-il.

Je fermai les yeux pour laisser ces mots me pénétrer. Ma mort était à l'horizon... et je ne pouvais rien y faire.

Le chirurgien me laissa seul avec Pat, mes parents, ma sœur et mon beau-frère. Peu de paroles furent prononcées alors que nous tentions tous de comprendre ce qui venait d'être dit.

Après ma sortie de l'hôpital, Pat et moi décidâmes de partir ensemble, en couple, pour commencer à faire face au présent et à planifier l'avenir. Nous nous sommes retirés une fin de semaine dans la solitude, à parler, à pleurer, à prier, essayant de trouver un sens à tout cela.

Nous nous accrochâmes l'un à l'autre et nous parlâmes de notre vie ensemble, de nos enfants, de nos rêves brisés. « Qu'allons-nous faire? », s'écria Pat avec angoisse. « Comment allons-nous pouvoir continuer à vivre? J'ai tellement peur! »

Alors que je pouvais lire mon propre désespoir dans les yeux de Pat, je réalisai soudain que je devais puiser mon courage dans la force et l'amour de Dieu, si je voulais passer à travers ce cauchemar. C'était comme si j'entendis Dieu me dire : « Tu es un ministre ordonné, c'est ton travail de réconforter les gens. Appuie-toi sur Ma force maintenant, pour Pat et pour toi-même, comme tu le ferais pour tes patients et leurs familles. »

Je pris une profonde respiration avant de déclarer : « Je vais contre-attaquer, Pat. Je vais suivre des traitements de radiothérapie et de chimiothérapie. Je sais que le médecin ne m'a donné aucun espoir de guérison, mais je ne peux pas laisser cette chose m'abattre sans réagir! Je veux continuer à travailler aussi longtemps que je le pourrai. Travailler comme aumônier, c'est mon ministère, c'est ma vie! Je sens que Dieu veut qu'il en soit ainsi, je sais qu'Il a un plan pour moi. »

Quand nous revînmes de notre séjour, plus près l'un de l'autre et plus près de Dieu, nous nous efforçâmes de reprendre une vie presque normale. Nous organisâmes régulièrement des rencontres en famille pour entretenir la communication. J'encourageais tout le monde — même mon fils de sept ans — à poser des questions, à parler ouvertement et à donner libre cours à leurs émotions.

À cette époque, je pensais que je n'avais vraiment aucune chance de guérir, mais je continuai à me battre pour prolonger ma vie avec des traitements agressifs de chimiothérapie et de radiothérapie.

Pendant mes traitements de radiothérapie, j'utilisais des techniques de visualisation, pour m'aider à surmonter mes peurs et mes angoisses. J'imaginais un jeu qui se déroulait dans ma tête : chaque fois que le Pac-Man engloutissait un autre point, une partie de ma tumeur était détruite.

Alors que j'arrivais à la fin de mes traitements, mon chirurgien me fit part d'une thérapeutique nouvelle qui était pratiquée à San Francisco. Il s'agissait d'une « curiethérapie interstitielle », qui consistait à implanter des graines hautement radioactives directement dans la tumeur cérébrale. Je me rendis sans tarder à la bibliothèque du Centre médical pour me documenter le plus possible sur ce nouvel espoir de guérison.

Pat et moi discutâmes de cette nouvelle option avec le chirurgien; bien que cela parût effrayant, nous décidâmes que je n'avais rien à perdre à l'essayer. Je savais qu'il fallait absolument continuer à me battre contre cet ennemi indésirable qui avait envahi mon corps. Mon dossier médical fut envoyé en Californie, pour qu'on puisse déterminer si oui ou non j'étais éligible pour ce genre de traitement. Il ne nous restait plus qu'à attendre, n'osant espérer mais incapables d'abandonner.

Nous attendîmes plus de trois mois avant de recevoir la nouvelle de mon acceptation. Nous en fûmes très heureux.

Le 12 septembre, Pat et moi prîmes l'avion pour San Francisco. Nous étions accompagnés par le directeur de mon département, qui venait avec nous pour nous soutenir moralement. Mon chirurgien, qui espérait apprendre cette nouvelle technique, prit un autre vol pour nous rejoindre.

L'opération, qui eut lieu le 15 septembre, se déroula sans problème. Les graines radioactives furent placées dans des cathéters avant d'être insérées dans ma tumeur. Après quelques rapides points de suture, je retournai à ma chambre, où j'attendis en isolation radiative pendant que ma tumeur était « assiégée ».

L'attaque radioactive se poursuivit pendant cinq jours. Puis, les graines furent extraites, et nous pûmes rentrer à la maison. Alors que nous nous engagions dans l'entrée, le 23 septembre, je poussai un cri d'exclamation en voyant une pancarte accrochée au-dessus de la porte, sur laquelle était inscrit au crayon de couleur : « Bienvenue à la maison, papa! » J'aimais tellement mes enfants, j'avais tellement de raisons de rester en vie.

De retour à Peoria, je dus, une fois de plus, essayer de reprendre une vie normale. Je me reposai et récupérai, avant de retourner travailler comme aumônier. J'avais maintenant une tout autre vision du traumatisme chirurgical et de la peur que l'on peut éprouver face à une maladie en phase terminale, ce qui fit de moi un aumônier beaucoup plus efficace. En plus, on m'avait confié une nouvelle tâche : conseiller les patients et leur famille qui se trouvaient dans le service de neurochirurgie, et spécialement ceux qui souffraient d'une tumeur au cerveau.

Ma santé s'améliora, mais je souffrais encore de maux de tête. Je décidai alors d'aller passer un examen de contrôle.

Je reçus de terribles nouvelles. J'allais devoir subir encore une autre intervention pour enlever la tumeur qui était maintenant encapsulée, ainsi que les tissus avoisinants qui étaient détruits.

Je priai Dieu de me donner la force : « Mon Dieu, j'ai enduré tellement de choses déjà, et voilà que je dois encore lutter. Je t'en prie, donne-moi la force de faire ce que je dois faire pour être capable de continuer à travailler pour toi. »

Le 24 mars 1988, je subis une craniotomie, et je restai à l'hôpital pendant une semaine.

Il y avait des jours que je pensais ne plus pouvoir tenir le coup. Mais au fond de moi-même, je savais qu'il fallait m'accrocher. Avec l'aide de Dieu, de ma famille, de mes amis et de mes collègues, je réussis à surmonter cette épreuve.

Aujourd'hui, presque huit ans après mon premier diagnostic, je suis toujours en vie : preuve vivante de la puissance de la foi et de la médecine.

J'ai perdu ma vision périphérique. Je fus aussi atteint de troubles d'élocution, et je n'arrive pas à toujours rassembler mes idées comme avant. Mais je suis vivant. Malgré toutes mes limites, je peux dire que j'ai reçu un cadeau miraculeux : huit autres années de vie à servir Dieu dans ma mission d'aumônier. Je prie pour en avoir encore beaucoup d'autres.

Depuis ma dernière opération, j'ai passé beaucoup de temps à parler avec des personnes atteintes d'une tumeur au cerveau, et à former les professionnels de la santé qui s'occupaient d'elles. En me basant sur ma propre expérience, comme patient et comme soignant, je suis persuadé qu'il existe plusieurs clés qui permettent de faire face à cette terrible maladie.

La première chose, c'est d'avoir une attitude... la volonté de se battre. C'est difficile de choisir de se battre, mais les patients qui décident de prendre l'offensive dès le premier jour ont beaucoup plus de chances de s'en sortir que ceux qui prennent peur et battent en retraite.

Se battre veut dire prendre la situation en main; ce qui peut sembler pour certains presque impossible. Le seul moyen de gagner du terrain sur cette force meurtrière est d'être plus intelligent qu'elle... ce qui requiert de bien s'informer. J'encourage chaque patient que je rencontre à devenir un expert de la maladie dont il souffre. Lisez et posez des questions. Inscrivez-vous à un groupe de soutien. Plongez-vous dans l'information. Épuisez toutes les ressources dans votre recherche de connaissances. Plus vous en saurez sur les épreuves auxquelles vous êtes confronté, plus vous aurez de chances de les surmonter.

Bien qu'il soit absolument essentiel que les patients prennent leur maladie en main, il est tout aussi important qu'ils demandent — et acceptent — l'aide de ceux qui les entourent. Il n'y a aucun mérite à vouloir marcher seul sur cette route. Et il y a une force incroyable à recevoir en acceptant le support de votre famille, de vos amis, des aumôniers, des médecins, des infirmières, des travailleurs sociaux et, peut-être le plus important, de ceux qui ont vécu des expériences semblables. Leur aide peut littéralement vous sauver la vie.

Mon dernier conseil est de « prendre les choses une journée à la fois ». Quand je me trouvais dans les profondeurs du désespoir, et que les autres me parlaient de ce cliché bien connu, je devais me retenir pour ne pas réagir violemment. Cela me mettait tellement en colère d'entendre répéter ces mots. Mais en fin de compte, si je voulais survivre, il fallait me concentrer sur le moment présent. C'était beaucoup trop effrayant — et dangereux — d'essayer de prévoir l'avenir. J'avoue qu'à certains moments, j'ai souhaité mourir; et la vérité est que je continue d'y penser encore aujourd'hui. Mais je suis persuadé que l'on doit vivre le moment présent si l'on veut garantir son avenir.

En réfléchissant aux expériences vécues au cours des six dernières années, je suis surpris du nombre de bons souvenirs que j'ai finalement gardés. Malgré les perceuses, les bruits sourds, les vis et les crises, mes souvenirs les plus marquants sont ceux concernant les gens — plusieurs étaient de parfaits étrangers — qui m'ont aimé, qui ont prié pour moi, qui m'ont soigné, ainsi que ma famille, dans nos heures les plus sombres. À eux, et à l'équipe de professionnels de la santé de première classe qui ont combattu en première ligne durant cette bataille, j'exprime ma plus sincère reconnaissance. Je suis vraiment béni, et je remercie Dieu de me donner l'occasion de partager mes bénédictions avec les autres.

Je continue d'exercer mon ministère auprès des patients qui ont une tumeur au cerveau, et de leur famille. Quand je rentre dans la chambre d'un malade, je me présente en lui disant : « Bonjour, je suis l'aumônier Craig. Je crois que nous avons quelque chose en commun... »

Révérend Robert Craig

Osez rêver

La vie! Quel cadeau précieux de Dieu. Quelle bénédiction de vivre dans ce monde plein de vie, dans ce monde aux possibilités illimitées. Puis, frappe l'adversité, et ce cadeau se transforme alors en malédiction.

« Pourquoi? Pourquoi moi? », nous demandons-nous. Mais nous n'avons jamais de réponse, n'est-ce pas?

Après avoir contracté la maladie de Hodgkin à l'âge de sept ans, et bien que l'on m'ait dit qu'il ne me restait plus que six mois à vivre, je réussis à surmonter tous les obstacles. Appelez ça de la chance, de l'espoir, de la foi ou du courage; mais il existe des milliers de survivants! Des gagnants comme nous qui savent exactement ce qu'il faut dire : « Pourquoi pas nous? Nous sommes tout à fait capables d'y faire face. » Je n'ai pas l'intention de laisser le cancer me faire mourir. Dieu sait ce qu'Il fait, quels que soient les obstacles qui se présentent, et je n'ai plus à avoir peur.

Pendant ma deuxième année d'école secondaire, il avait été prévu que ma classe participe à une course. Je n'oublierai jamais ce jour-là, car à cause des enflures et des cicatrices que j'avais à la jambe, suite aux opérations que j'avais subies, cela faisait près de deux ans que je n'avais pas enfilé un short. J'avais peur que l'on se moque de moi. J'avais vécu dans la crainte pendant deux années. Pourtant, ce jour-là, tout cela n'avait plus d'importance. J'étais prêt : short, cœur et esprit. Mais à peine étais-je arrivé à la ligne de départ que j'entendis des chuchotements, du genre : « Obèse! Qu'est-ce qu'il est gros! Quelle horreur. » Je fis mine de les ignorer.

Puis, l'entraîneur s'écria : « À vos marques, prêts, partez! » Je décollai à la vitesse de la lumière, je fus plus rapide que tous les autres pour ce qui est des 7 premiers mètres. Je ne savais pas grand-chose sur l'entraînement à cette époque, mais cela n'avait pas d'importance, parce que j'étais décidé à finir la course le premier.

Lors du premier des quatre tours de piste que nous avions à faire, il y avait des élèves sur toute la piste. À la fin du deuxième tour, plusieurs élèves avaient déjà abandonné. Ils avaient laissé tomber, et s'étaient affalés par terre, essayant de reprendre leur souffle. Lorsque j'entamai le troisième tour, il ne restait plus que quelques-uns de mes camarades de classe sur la piste et je commençai à boiter. Au quatrième tour, au moment où je passai la ligne d'arrivée, j'étais seul. C'est alors que je réalisai ce qui se passait. Je me rendis compte que personne n'avait abandonné. Mais plutôt, ils avaient déjà tous terminé la course. Je pleurai en courant le dernier tour. Je réalisai que chaque garçon et chaque fille de ma classe m'avait battu. Après 12 minutes et 42 secondes, je finis par passer la ligne d'arrivée. Je m'écroulai à terre, et des larmes ruisselaient sur mes joues. J'avais tellement honte.

Mon entraîneur se précipita vers moi et me releva en s'écriant : « Tu as réussi Manuel! Manuel, tu as terminé la course, mon garçon! Tu as terminé la course! » Il me regardait droit dans les yeux, en remuant une feuille de papier. Il s'agissait de mon objectif de la journée, que j'avais oublié. Je lui avais remis cette feuille avant que la classe ne commence. Il la lut à haute voix pour tout le monde. Je disais simplement : « Moi, Manuel Diotte, terminerai la course demain, et ce, quoi qu'il advienne. Aucune douleur ou frustration ne m'arrêtera, car je suis plus que capable de me rendre jusqu'à la ligne d'arrivée. Et, avec Dieu comme force, je terminerai cette course. » Signé : Manuel Diotte — avec un petit visage souriant dessiné à l'intérieur du D, comme je le fais toujours quand je signe mon nom. Mon cœur se gonfla, mes larmes cessèrent de couler et un sourire se dessina sur mon visage, comme si j'avais eu une banane coincée en travers de la bouche. Mes camarades de classe se mirent debout pour m'applaudir. C'est alors que je réalisai que gagner n'était pas nécessairement arriver le premier. Quelques fois, gagner, c'est simplement terminer.

Manuel Diotte

Réaliser ses rêves

Je suis persuadée qu'il y a du bien dans tout ce qui nous arrive. Je suis sûre aussi qu'il y a une raison à tout, que nous la connaissions ou non.

Il y a un peu plus d'un an, on m'apprit que j'étais atteinte d'un cancer du sein. La nouvelle m'anéantit complètement. Je pleurai pendant 24 heures, puis décidai de prendre la situation en main, du mieux que je le pouvais.

D'autres femmes avaient déjà eu le cancer avant moi. Mais moi, ça ne m'était encore jamais arrivé. Je me rends compte à présent combien j'étais ignorante. Depuis, je me suis informée sur le cancer du sein, et je suis plus compétente en la matière. J'ai une nouvelle vision de la vie; ce qui arrive souvent aux personnes qui sont atteintes du cancer.

Peut-être s'agissait-il d'un signal d'alarme pour me dire de prendre le temps de sentir le parfum des roses? Peut-être était-ce ce dont j'avais besoin pour devenir plus motivée, pour me pousser à rechercher des défis et à réaliser mes rêves de longue date.

Depuis ma plus tendre enfance, je rêvais de devenir une auteure publiée. Au fond de mon cœur brûlait le désir de devenir écrivaine et de voir mes mots imprimés. C'était le rêve impossible auquel j'avais renoncé, à cause du manque de confiance en moi.

À l'époque de ma mastectomie, de mes traitements de chimiothérapie, puis de ma résection chirurgicale, j'écrivais presque tous les jours à ma meilleure amie depuis plus de trente ans. Elle habite de l'autre côté du pays, et l'écriture a toujours été notre moyen de communication. Nous plaisantions souvent en disant que nos lettres étaient pour nous une thérapie, chaque fois que nous étions confrontées à de nouveaux et parfois difficiles défis. Mon diagnostic fut le plus difficile des défis, et elle était là pour m'accompagner à travers chacune des étapes que j'ai eu à vivre, me prodiguant amour et soutien.

Juste avant de recevoir le diagnostic, j'avais acheté un ordinateur et, bien sûr, je l'utilisai pour lui écrire. Quelques mois après le début de mon cancer, je réalisai que je pouvais faire un livre avec les lettres que j'écrivais à Rita. Telle une thérapie que je m'imposais à moi-même, tout en suivant mes traitements de chimio, je compilais mes lettres.

Sept mois après avoir été diagnostiquée avec un cancer du sein, je vendis mon manuscrit à moitié terminé. Depuis, je l'ai terminé, et je suis heureuse d'annoncer que mon premier livre : *Courage and Cancer, A Breast Cancer Diary : A Journey from Cancer to Cure* (Le courage et le cancer, le journal d'un cancer du sein : Un voyage du cancer à la guérison) sera publié au mois d'octobre 1996.

Pourtant, je doutais encore de mes talents d'écrivaine. J'avais compilé un livre de poésie, il y avait presque seize ans de cela, alors que j'étais agoraphobe. Il était pour moi seulement, et je n'avais jamais osé le faire lire à personne. Pour me prouver à moi-même que le livre sur le cancer du sein n'était pas qu'un coup de chance, j'envoyai un exemplaire de mon livre de poésie à mon nouvel éditeur. Quelle ne fut pas ma surprise lorsque je reçus un contrat pour ce livre aussi : *Love, Fear and Other Things that Cry Out in the Night* (L'amour, la peur et les autres choses qui crient dans la nuit) qui sera publié en 1997.

J'étais sur ma lancée, et je n'avais aucune intention de m'arrêter. En moins d'un an, j'ai vendu trois livres qui seront bientôt publiés. J'ai deux autres manuscrits présentement en cours de révision. Et, bien sûr, je viens déjà de commencer à en écrire un autre.

Le diagnostic de mon cancer du sein m'a permis de commencer une nouvelle vie. Je n'aurais jamais consciemment demandé cette maladie, mais je suis reconnaissante qu'elle m'ait aidée à réaliser mes rêves.

Marilyn R. Moody

Venez jusqu'au bord.
Non, nous allons tomber.

Venez jusqu'au bord.
Non, nous allons tomber.

Ils vinrent jusqu'au bord.
Il les poussa, et ils s'envolèrent.

Guillaume Apollinaire

Chris, un élève
hors du commun

Noël frappait de nouveau à nos portes. Il y avait de la magie dans l'air, comme tous les ans à cette époque, et cette magie était dans le cœur de presque tous les enfants de cette classe de cinquième année, en ce froid après-midi de décembre — un des derniers après-midi d'école avant les vacances de Noël.

Comme à chaque année, les élèves de quatrième et de cinquième année regardaient un film de Noël. Mais la magie qu'il y avait dans l'air, pour la plupart des enfants, n'était pas là pour un élève en particulier, qui portait un fardeau bien trop lourd pour ses épaules de dix ans.

En entendant les chants de la chorale de Noël, le cœur de Chris devenait de plus en plus lourd. Il bondit de sa chaise et courut jusqu'à la voiture de sa mère. Sa mère et moi enseignions dans la même petite école de campagne. Les autres professeurs m'encouragèrent à aller lui parler. Mais que dire à un enfant de dix ans qui sait qu'il a le cancer, que sa jambe va probablement être amputée, et qu'il aura à vivre des mois de traitements de chimiothérapie. J'étais persuadée qu'il était tenaillé par la peur de mourir.

Je n'étais pas seulement le professeur de Chris, je pouvais comprendre son angoisse et sa peur. En effet, l'année précédente, la magie de Noël n'était certainement pas dans l'air pour moi non plus. Cette année-là, j'avais été opérée, et j'avais appris que j'avais un cancer. Mon cancer a pu être opéré, mais j'avais dû subir trois chirurgies, dont deux en l'espace d'un mois et l'autre, six mois plus tard. J'ai eu aussi des traitements de chimiothérapie.

Comment lui parler? C'était la question que je me posais, alors que je sortais lentement et avec hésitation de l'immeuble pour aller parler à Chris. La seule chose que je pus faire fut de tenir sa main et de pleurer avec lui. Il me posa des questions, et j'essayai de lui répondre avec des mots qu'il comprendrait. Quand je lui dis qu'il fallait que j'aille passer des examens tous les trois mois, il me dit qu'il aurait aimé en être déjà rendu là. J'essayai de lui expliquer que les épreuves que nous avions à vivre faisaient de nous des personnes plus fortes, et que plus tard, il serait sûrement en mesure d'aider quelqu'un d'autre. Nous finîmes par rentrer dans l'école, nos deux cœurs lourds de fardeaux partagés.

En janvier, le douloureux jour tant redouté arriva. La jambe fut amputée. Chris revint à l'école quelques semaines plus tard. Il fut bientôt équipé d'une prothèse. À l'école, les enfants étaient subjugués par le fait que Chris puisse enlever sa jambe. Ils étaient tous très compréhensifs et serviables. En plus des manteaux et des chapeaux, il n'était pas inhabituel que nous ayons une jambe dans notre penderie. Les autres élèves étaient toujours prêts à lui apporter ses béquilles ou sa prothèse. Quoi qu'il ait besoin, ils étaient là, prêts à l'aider. Ce fut une année éprouvante, mais cela faisait tellement plaisir de voir l'affection et la générosité des autres élèves.

Lorsque l'hiver fit place au printemps, les effets des traitements de chimiothérapie devinrent visibles. Chris perdit ses cheveux. Pour quelque temps, il essaya de porter une jolie perruque que sa mère lui avait achetée. Mais un jour qu'il faisait très humide et très chaud, la perruque prit le large, au beau milieu d'un cours. Son apparence importait peu; à ce moment-là, c'était son confort qui primait sur sa fierté.

Un autre jour de printemps, alors qu'il faisait très chaud, en plein cours d'éducation physique, le voyant se débattre avec ses béquilles, je lui suggérai de venir se placer au début de la file pour venir boire de l'eau. Les autres élèves l'encouragèrent à le faire, mais il nous déclara qu'il allait attendre son tour comme les autres. Le seul privilège dont il se réjouissait en fait, c'était d'avoir la permission de porter un chapeau à l'intérieur de l'école, pour couvrir sa tête chauve.

Un jour, un homme d'un certain âge, qui avait été enseignant et directeur d'école, et qui maintenant était à sa retraite, vint rendre visite aux élèves pour leur parler d'un concours financé par le centre municipal. Cet homme peu ordinaire questionnait toujours les enfants et leur parlait de l'importance du patriotisme et de l'école. Ce jour-là, Chris avait gardé son chapeau. Cet homme très patriotique se dirigea vers le garçon, enleva son chapeau et dit :

« Mon garçon, enlève ce chapeau quand tu es à l'intérieur! » Au moment où il lui enleva son chapeau, son visage exprima à la fois de la surprise, de la sympathie et du remords. Chris le regarda, sourit, reprit son chapeau et le remit sur sa tête. À ce moment-là, je pense que j'éprouvai plus d'empathie pour l'homme qui avait enlevé le chapeau de Chris, que pour Chris lui-même.

Pendant toute la durée de sa maladie, Chris ne perdit jamais son courage et sa foi. Lui et sa famille eurent à affronter cette épreuve alors qu'ils n'étaient que partiellement remis d'un terrible accident qui avait eu lieu cinq ans auparavant, dans lequel Chris avait été sérieusement blessé, et qui avait coûté la vie de son père ainsi que celle de sa grand-mère. Combien d'épreuves pourra-t-il encore supporter? Je suis sûre qu'il s'agit d'une question que de nombreuses personnes se sont posé.

Chris et moi, nous allons très bien maintenant. En décembre, cela fera huit ans que j'ai eu le cancer. Je me sens beaucoup plus qualifiée en tant qu'enseignante à cause de ce qui m'est arrivé. Cela m'a permis de comprendre et d'aider les élèves dont des membres de leur famille sont atteints du cancer, ou d'autres maladies graves. J'espère ne jamais avoir d'autres élèves qui auront à endurer ce que Chris a dû endurer; mais si cela arrivait, je ferais tout ce qui est en mon pouvoir pour les aider.

En octobre, cela fera sept ans que Chris a été diagnostiqué avec le cancer. Nous sommes des survivants! Nous savons tous les deux que c'est Dieu qui nous a aidés à passer à travers tous ces moments difficiles. Chris terminera ses études secondaires cette année. Il est maintenant un très beau jeune homme qui, bientôt, entrera à l'université et poursuivra une carrière. Je suis persuadée qu'il choisira une carrière lui permettant d'aider les gens. Il est tout à fait ce genre de jeune homme.

Louise Biggs

Tenez bon!

Mon héros

C'est jeudi. Je déteste le jeudi. Aujourd'hui, de nombreux parents et enfants font des kilomètres pour venir ici... en enfer. C'est un endroit bondé et bruyant. Ici, les gens ne sourient pas, la souffrance et la peur sont omniprésentes.

Je sors de l'ascenseur au quatrième étage pour emprunter ce couloir bien trop familier et m'asseoir sur un siège inconfortable. Je suis entourée de monde, pourtant je suis seule. Bien que mon périple de la journée ne fait que commencer, il n'y a rien de nouveau. Je suis déjà venue ici plusieurs fois. Chaque carreau comporte vingt et une rayures. Je les ai souvent comptées. Je m'installe dans ma chaise, car je sais que cela peut prendre du temps avant qu'on appelle mon nom. Soudain, j'entends un drôle de bruit. C'est un rire. J'ai du mal à y croire, personne ne rit le jeudi. Le jeudi c'est le jour de la chimio au 4B.

Je scrute le hall bondé, cherchant d'où provient ce rire. Je passe en revue chaque enfant, chaque parent, mais ils se ressemblent tous, ils sont tous épuisés et effrayés. Je suis sûre que chacun se pose la même question : « Pourquoi le traitement est-il pire que la maladie? » Mon regard s'arrête sur une mère en particulier qui tient dans ses bras son bébé, un petit garçon d'environ huit mois. C'est lui qui rit. Il sautille sur les genoux de sa mère. Il est évident qu'il s'agit de son jeu préféré. Le visage de sa mère n'est que sourires. Elle savoure les brefs instants de bonheur de la courte vie de son fils. Elle sait que cela va prendre un certain temps avant qu'il n'ait de nouveau la force de rire. Lui aussi a été désigné pour subir un sort bien incertain et injuste. Mes yeux se remplissent de larmes.

Je m'installe dans ma chaise de façon à avoir une meilleure vue du bébé. Je regarde sa petite tête chauve. Un bébé avec une tête chauve, ça n'a rien d'inhabituel, mais je sais pourquoi cet enfant est chauve. Soudain, je deviens fâchée contre moi-même. Je déteste que l'on me regarde fixement, pourtant, c'est exactement ce que je suis en train de faire.

Je me déplace et je m'enfonce encore plus dans ma chaise. Je ressens à la fois de la colère, de la peur, de la tristesse et de la pitié. Je reste absorbée dans mes pensées encore un bon moment. Une voix retentissante me tire de ma rêverie. C'est l'infirmière qui demande à la mère et à son bébé d'entrer en enfer. Les sautillements et les rires s'arrêtent d'un seul coup. La mère prend son fils dans ses bras. Lorsqu'ils passent devant moi, je lance un dernier coup d'œil au bébé. Il est tout à fait calme, ses yeux sont brillants et son petit visage reflète un abandon total. Je sais que cette expression restera gravée dans ma mémoire.

Il ne s'agit que d'un seul jeudi parmi d'autres. Pourtant, ce jeudi-là, plusieurs mois après avoir commencé ce qui me paraissait être une série de traitements interminables, un petit bébé me donna une leçon de vie. Il changea ma vie. Il m'apprit que la colère, les larmes et la tristesse, c'est pour ceux qui ont décidé de tout laisser tomber. Il m'apprit aussi à faire confiance. Cela, je ne l'oublierai jamais. Aujourd'hui, mon petit héros se porte bien. Il lui reste un dernier traitement, et son avenir semble prometteur. Je peux honnêtement dire que je suis un peu surprise. Ce bébé aux yeux clairs avait l'air si pâle et malade ce jour-là. Ça, c'était avant que j'apprenne à faire confiance.

Tous, certains plus tôt que d'autres, doivent endurer leur « enfer sur terre ». Il est important de continuer à chercher les petites joies, même si quelquefois elles sont hors d'atteinte. Croyez que ces joies se présenteront quand vous vous y attendrez le moins, et le plus souvent dans les moments les plus sombres de la vie… par exemple, dans le sourire d'un enfant.

Katie Gill

Continuez à vivre

En 1986, l'actrice Jill Eikenberry terminait l'émission pilote pour une nouvelle série télévisée — *L.A. Law*. Elle et son mari, l'acteur Michael Tucker, étaient très enthousiasmés par cette nouvelle émission. Ils projetèrent de quitter leur demeure de New York pour déménager à Los Angeles, si NBC acceptait la bande d'essai.

Puis, brusquement leur avenir s'assombrit. En mai, le médecin d'Eikenberry lui annonça qu'elle était atteinte d'un cancer du sein.

« Cette nouvelle nous est tombée dessus comme un coup de massue », me dit Eikenberry. « Au début, je pensais que j'allais mourir, un point c'est tout. Je passais des heures allongée sur mon lit à pleurer, incapable d'imaginer comment ma famille allait se débrouiller sans moi. »

Son mari, Michael Tucker, avait peur aussi : « Je me souviens du moment où le médecin m'a annoncé que la tumeur était maligne. Je n'ai jamais eu aussi peur de ma vie. Je pensais que j'allais la perdre. » Mais Tucker et Eikenberry s'encouragèrent mutuellement. « Nous nous accrochions l'un à l'autre. Cela nous réconfortait », dit Eikenberry.

Puis, plusieurs jours après le diagnostic, Eikenberry assista à la projection d'un film dans lequel elle avait récemment joué. Une des autres actrices de ce film était là aussi. En voyant Eikenberry, elle vint s'informer de ce qui n'allait pas.

« Là, j'ai explosé et je lui ai débité toute mon histoire », dit Eikenberry. « Puis, elle m'emmena voir sa mère, qui se trouvait là, elle aussi. Dès que celle-ci eut entendu mon histoire, elle m'agrippa par le bras et m'entraîna dans les

toilettes pour dames, puis elle remonta sa blouse et dit :
"Regarde, ça m'est arrivé il y a onze ans. J'ai une cicatrice
ici, c'est tout ce qui me rappelle que j'ai eu le cancer du
sein. Ça peut t'arriver à toi aussi." »

« C'était la première fois que je réalisais que j'avais
une chance de rester en vie », dit Eikenberry. Ses mots
m'encouragèrent à demander l'avis d'un autre médecin.
Le premier médecin m'avait dit que la meilleure chose à
faire était une mastectomie, tandis que le deuxième
médecin me dit que j'étais une candidate idéale pour une
tumorectomie du sein.

Alors, Eikenberry opta pour une tumorectomie, une
opération beaucoup moins drastique. L'opération fut une
réussite, mais le traitement n'était pas terminé. Quand
Eikenberry commença le tournage des épisodes de la
série *L.A. Law*, elle quittait le plateau tous les jours à
3 heures de l'après-midi pour se rendre au UCLA Medical Center où elle suivait des traitements de radiation.

« Elle était complètement épuisée », dit Tucker.
« Quand elle arrivait à la maison, elle se couchait pour la
nuit, puis elle retournait travailler le lendemain. Voilà
comment se déroula le tournage des trois ou quatre premiers épisodes de la série *L.A Law* ».

Eikenberry m'expliqua comment elle surmonta tout
cela : « Je devais tout simplement continuer à aller de
l'avant. Et aujourd'hui, tout le monde me dit : "Cela a dû
être tellement difficile pour toi". Et en effet, ça l'a été.
Mais si vous avez l'esprit occupé ailleurs, ça aide beaucoup. Continuer à travailler fut très thérapeutique. En
plus, je jouais le rôle de Ann Kelsey, une personne très
forte, agressive et très sûre d'elle. Je crois que cela m'a
aidée à tout surmonter. Aujourd'hui, je célèbre mon cinquième anniversaire sans cancer. »

« Une fois que vous vous êtes battu contre quelque chose comme le cancer, et que vous avez gagné, il n'y a plus grand-chose qui vous fait peur. J'avais peur de prendre l'avion, mais plus maintenant. Après avoir eu le cancer, vous pouvez dire que vous avez vu ce que nous passons beaucoup de temps à nier. Vous avez regardé la mort en face, et alors la peur occupe une place beaucoup moins grande dans votre vie. »

Jill Eikenberry continua de vivre et découvrit que le changement et les épreuves vous rendent vraiment plus fort.

Erik Olesen

3

L'ATTITUDE

*C'est l'attitude que nous adoptons
dès le début d'une tâche difficile
qui, plus que n'importe quoi d'autre,
va décider de son dénouement.*

William James

La plus belle journée
de ma vie

Aujourd'hui, quand je me suis réveillé, je réalisai soudain que c'était la plus belle journée de ma vie!

Il y eut un temps où je me demandais si j'allais vivre jusqu'à aujourd'hui; mais je suis encore vivant! Et parce que je suis encore vivant, je vais faire la fête!

Aujourd'hui, je vais célébrer la vie incroyable que j'ai eue jusqu'ici : les réalisations, les nombreuses bénédictions et, oui, même les épreuves, parce qu'elles m'ont rendu plus fort.

Je vais vivre cette journée la tête haute et le cœur joyeux. Je vais m'émerveiller devant les cadeaux — apparemment simples — de Dieu : la rosée du matin, le soleil, les nuages, les arbres, les fleurs, les oiseaux. Aujourd'hui, aucune de ces créations miraculeuses n'échappera à mon attention.

Aujourd'hui, je vais partager mon enthousiasme pour la vie avec d'autres personnes. Je ferai sourire quelqu'un. Je m'arrêterai en chemin pour accomplir un geste de bonté inattendue envers une personne que je ne connais même pas. Aujourd'hui, je ferai un compliment sincère à quelqu'un qui a l'air déprimé. Je dirai à un enfant combien il est spécial et je dirai à une personne que j'aime à quel point je suis profondément attaché à elle, et combien elle est importante pour moi.

Aujourd'hui, je vais arrêter de m'inquiéter de ce que je n'ai pas et commencer à être reconnaissant pour toutes les merveilleuses choses que Dieu m'a déjà données. Je me souviendrai que m'inquiéter n'est qu'une perte de temps, car ma foi en Dieu et en sa Divine Providence m'assure que tout ira pour le mieux.

Et ce soir, avant de me coucher, je sortirai dehors et je lèverai les yeux vers le firmament. Je m'émerveillerai devant la beauté de la lune et des étoiles, et je louerai Dieu pour ces magnifiques trésors.

Lorsque cette journée s'achèvera et que je poserai ma tête sur l'oreiller, je remercierai le Tout-Puissant pour la plus belle journée de ma vie. Je dormirai du sommeil d'un enfant heureux, impatient d'arriver au lendemain, parce que je sais que demain sera la plus belle journée de ma vie!

Gregory M. Lousig-Nont, Ph.D.

Ce qu'il y a de tragique dans la vie, ce n'est pas qu'elle soit si courte, mais que nous attendions si longtemps pour la commencer.

Anonyme

L'amour est plus fort...

Avoir un objectif de vie qui soit basé sur l'amour est la meilleure assurance sur la vie que l'on puisse avoir.

Si vous aviez demandé à mon père pourquoi il se levait le matin, vous auriez trouvé sa réponse d'une simplicité désarmante : « Pour rendre ma femme heureuse. »

Maman et papa se sont rencontrés à l'âge de neuf ans. Tous les jours, avant l'école, ils se retrouvaient sur un banc, dans le parc, avec leurs devoirs. Maman corrigeait les devoirs d'anglais de papa, et papa faisait la même chose pour les devoirs de mathématiques de maman. Lors de la cérémonie de remise des diplômes, leurs professeurs dirent que tous les deux, ils étaient « le meilleur » élève de l'école. Eh oui, au singulier!

Ils prirent leur temps pour bâtir leur relation, même si papa savait qu'elle était la femme de sa vie. Ils eurent leur premier baiser à l'âge de dix-sept ans, et leur romance ne fit que grandir jusqu'à ce qu'ils atteignent les quatre-vingts ans.

Nous ne découvrîmes toute la puissance de leur amour qu'en 1964, lorsque papa apprit qu'il avait le cancer et qu'il ne lui restait que six mois à une année, au plus, à vivre.

« Désolé de vous contredire, Docteur », dit mon père. « Mais je vais vous dire, moi, combien de temps il me reste à vivre. Un jour de plus que ma femme. Je l'aime beaucoup trop pour quitter ce monde sans elle. »

Et il en fut ainsi, à la grande surprise de tous ceux qui ne connaissaient pas vraiment ce couple que l'amour avait uni. Maman mourut à l'âge de 85 ans, et papa la rejoignit l'année suivante, à l'âge de 86 ans. Vers la fin, mon père nous confia, à mes frères et à moi, que ces dix-sept ans avaient été les plus beaux six mois qu'il avait jamais passés.

Pour les merveilleux médecins et infirmières du Centre médical des Anciens Combattants, à Long Beach, il était un miracle ambulant. Ils le soignèrent avec amour, et ne purent vraiment comprendre comment un corps tellement rongé par le cancer pouvait continuer à fonctionner si bien.

L'explication de mon père était bien simple. Il leur dit qu'il avait été étudiant en médecine pendant la Première Guerre mondiale, qu'il avait vu des bras et des jambes amputés et qu'il avait remarqué qu'aucun de ceux-ci ne pouvait penser. Alors, il décida qu'il dirait à son corps comment se comporter. Un jour, en se relevant, il ressentit une douleur atroce; alors, il regarda sa poitrine et lui dit : « Tais-toi! On est au beau milieu d'une fête ici. »

Deux jours avant qu'il nous quitte, il nous dit : « Mes garçons, bientôt je serai avec votre mère, et un jour, quelque part, nous serons à nouveau tous réunis. Mais pour ce qui est de venir nous rejoindre, prenez votre temps; votre mère et moi avons beaucoup de temps à rattraper. »

On dit que l'amour est plus fort que les murs d'une prison. Papa prouva que l'amour était rudement plus fort que de minuscules cellules cancéreuses.

Bob, George et moi sommes toujours ici-bas, forts du dernier cadeau que notre père nous a offert.

Un but, un amour et un rêve font de vous le seul maître de votre corps et de votre vie.

John Wayne Schlatter

Le pouvoir de choisir

Lorsqu'une des portes du bonheur se ferme, une autre s'ouvre; mais souvent, nous passons tellement de temps à regarder la forte fermée que nous ne voyons pas celle qui vient de s'ouvrir.

Helen Keller

Je me sens toujours bien quand je suis dans le bureau d'Angela Passidomo Trafford. Je me sens valorisée, en sécurité et, pour une raison ou pour une autre, meilleure face à moi-même.

Ce jour-là, j'étais venue pour lui parler de l'atelier qu'elle allait coanimer avec l'auteur et chirurgien bien connu, le Dr Bernie Siegel.

Lorsque je lui demandai comment elle en était venue à choisir le titre de son atelier, *Le pouvoir de choisir*, Angela m'expliqua : « La plupart des gens sont absolument incapables de prendre des décisions ou de faire des choix. Ils sont paralysés par un sentiment de culpabilité et de honte face au passé. »

Angela parle en se basant sur son expérience personnelle. Comme elle l'a écrit dans son livre, *The Heroic Path* (Le chemin héroïque), elle me raconta le moment pénible de sa vie qui l'amena à lire le livre de Bernie. Elle toucha le fond après avoir appris, le même jour, qu'elle perdait la garde de ses enfants et qu'elle avait le cancer.

« Je tombai à genoux et abandonnai ma vie à Dieu. Je lui demandai de prendre ma vie et de me montrer comment vivre, car je réalisais que je ne savais pas comment. Puis, je suis allée errer entre les rayons de la bibliothèque municipale; je ne savais même pas ce que je faisais là. La bibliothécaire vint me parler — je ne la connaissais même pas — et elle avait le livre de Bernie Siegel dans les mains : *Love, Medecine and Miracles* (L'amour, la médecine et les miracles). Elle me demanda si je l'avais déjà lu. Lorsque je lui répondis que non, elle me dit que je devais absolument le lire. C'était le début de ce que j'appelle souvent "le plan de Dieu" : comment une chose en amène une autre et vous fait réaliser que Dieu a un plan pour vous. Se mettre en contact avec cette intelligence supérieure qui se trouve à l'intérieur de chacun de nous est l'essence de la guérison et de la vie.

« Mon plan divin a continué de m'être révélé lorsque j'apportai le livre de Bernie Siegel à la maison, et que je découvris que cet éminent chirurgien disait des choses que j'avais toujours ressenties. Il mettait en avant toute une philosophie de vie qui consiste à prendre sa vie en main, à prendre sa santé en main, à être responsable de ses sentiments, et à aller chercher sa guérison à l'intérieur de soi.

« Je commençai à me lever tôt le matin et à remercier Dieu pour le don de la vie. Je me rendais compte que même si tout m'avait été enlevé, j'étais toujours consciente que la vie elle-même est un cadeau, et je me sentais incroyablement reconnaissante pour ce cadeau.

« Je pris l'habitude de faire de la bicyclette, puis de rentrer à la maison pour faire les exercices de méditation et de visualisation que le Dr Siegel recommandait dans son livre.

« Un jour, une visualisation me fut inspirée par mon imagination. Je voyais ces petits oiseaux qui mangeaient des miettes dorées; les petits oiseaux représentaient les cellules de mon système immunitaire, et les miettes dorées, les cellules cancéreuses. Je prolongeai cette visualisation en imaginant une lumière blanche qui traversait le haut de ma tête et qui envahissait tout mon corps pour me guérir.

« Pendant les trois semaines qui précédèrent ma biopsie chirurgicale, je continuai à méditer tous les matins, après ma promenade à bicyclette, jusqu'à ce qu'un matin, tout à coup, je sente cette extraordinaire et très forte lumière blanche me traverser le corps. J'eus très peur, et ma raison se mit à protester, toute conditionnée qu'elle était par la peur et la méfiance : "Arrête! Arrête! Tu es en train de faire une crise cardiaque! Arrête l'expérience!" Mais je choisis de me laisser aller et de permettre à mon être de se fondre avec cette magnifique lumière, cette puissante énergie.

« Après cela, je m'affalai tout simplement dans un fauteuil et, pour la première fois de ma vie, je ne pensais absolument à rien. Il n'y avait que cette immense sensation de paix intérieure. Je savais que quelque chose de merveilleux m'était arrivé.

« Une visite chez le médecin ne fit que confirmer ce que je savais déjà : mon cancer avait complètement disparu.

« Cette expérience changea ma vie. Je me suis donné comme mission de partager mon expérience avec ceux qui ont à lutter contre le cancer. Beaucoup de choses se sont passées depuis. J'ai récupéré la garde de mes enfants; j'ai mis sur pied mon projet d'autoguérison, *Self Healing*, et j'ai écrit mon premier livre, *The Heroic Path*, dans lequel je décris mon cheminement, du cancer à l'autoguérison.

« Je pense que le temps est arrivé où les gens prennent conscience qu'il est possible d'être plus heureux dans notre vie. L'univers nous offre des possibilités inépuisables de lâcher prise devant la peur, la culpabilité, la honte et la colère, ainsi que tous les problèmes refoulés du passé.

« La santé est un choix. Nous choisissons la santé et la joie ; nous choisissons le bonheur. Voilà tous les choix que nous pouvons faire quand nous avons le pouvoir de choisir. Mais pour ressentir ce pouvoir, nous devons apprendre ce que signifie s'aimer soi-même, et se donner les moyens d'agir en tant qu'être humain. Et j'ai découvert comment y parvenir, dans la vie de tous les jours. C'est ce que j'ai appris à faire au jour le jour. »

Sharon Bruckman

Riez!

Il y a déjà plusieurs années, Norman Cousins apprenait qu'il souffrait d'une maladie incurable. Il ne lui restait plus que six mois à vivre, car ses chances de guérison étaient de une sur cinq cents.

Il se rendait compte que l'inquiétude, la dépression et la colère qu'il avait connues dans sa vie avaient contribué et peut-être même causé sa maladie. Il se demanda si la maladie pouvait être causée par une attitude négative, et si la santé pouvait résulter d'une attitude positive.

Il décida d'en faire lui-même l'expérience. Le rire était une des réactions les plus positives qu'il connaissait. Il loua donc tous les films comiques qu'il put trouver — Keaton, Chaplin, Fields, les frères Marx. (C'était avant les magnétoscopes, alors il a fallu qu'il loue les versions originales). Il lut des histoires drôles et il demanda à ses amis de l'appeler chaque fois qu'ils disaient, entendaient ou faisaient quelque chose de drôle.

Sa douleur était si forte qu'il ne pouvait pas dormir. Le fait de rire pendant dix minutes, trouva-t-il, le soulageait pour plusieurs heures et lui permettait de dormir.

Il se remit complètement de sa maladie et vécut encore vingt fructueuses et heureuses années, en bonne santé. (Son parcours est raconté en détail dans son livre, *Anatomy of an Illness* [L'anatomie d'une maladie]). Il attribue sa guérison à ses exercices de visualisation, à l'amour de sa famille et de ses amis, mais aussi au rire.

Certaines personnes pensent que le rire est une perte de temps, un luxe, une frivolité, une chose à laquelle on ne peut s'adonner que de temps en temps.

Rien ne pourrait être plus loin de la vérité. Le rire est indispensable à notre équilibre, à notre bien-être et à notre vitalité. Si nous nous sentons mal, le rire nous aide à nous sentir mieux; si nous nous sentons bien, le rire nous aide à le demeurer.

Depuis le travail subjectif et révolutionnaire de Cousins, des études scientifiques ont démontré que le rire a un effet curatif sur le corps, l'esprit et les émotions.

Alors, si vous aimez rire, considérez comme un conseil médical judicieux de vous y adonner le plus souvent possible. Si vous n'aimez pas le rire, prenez vos médicaments et riez quand même.

Utilisez tout ce qui peut vous faire rire : les films, les comédies de situation, les disques, les livres, les bandes dessinées, les blagues, les amis.

Donnez-vous la permission de rire, haut et fort, et longtemps, aussitôt que vous trouvez que quelque chose est drôle. Il se peut que les personnes qui vous entourent pensent que vous êtes bizarre, mais à un moment ou à un autre, elles aussi se mettront à rire, même si elles ne savent pas du tout pourquoi vous riez.

Certaines maladies sont contagieuses, mais aucune n'est plus contagieuse que le remède... le rire.

Peter McWilliams

L'infirmière qui disait
« *nous* »

La médecine, ce n'est pas très amusant; mais c'est fou ce qu'il y a comme médecine dans l'amusement.

Josh Billings

Quand j'étais à l'hôpital, il y avait une infirmière qui aimait employer le *nous* et qui, quand elle parlait, commençait chaque phrase ainsi : « Comment nous sentons-nous aujourd'hui? Avons-nous besoin d'un bain? » Cela m'agaçait vraiment, je décidai donc de lui jouer un tour.

Un jour, elle m'apporta un petit récipient en me demandant un échantillon d'urine. Après qu'elle eut quitté la pièce, je versai mon jus de pomme dans le récipient. Quand elle revint chercher l'échantillon d'urine, elle l'examina avant de déclarer : « Nous sommes un peu trouble aujourd'hui, n'est-ce pas? »

Je lui demandai de me laisser le constater par moi-même, retirai le couvercle et dis :

« Oui, vaudrait mieux que ça refasse un autre tour », avant d'avaler d'un seul trait le contenu du récipient. L'expression de choc que je pus lire sur son visage fut sans prix.

Norman Cousins

Deux choses dont il ne faut pas s'inquiéter

J'ai découvert qu'il y a deux choses dans ma vie pour lesquelles je ne devrais jamais m'inquiéter.

Premièrement, il ne faut pas que je m'inquiète pour les choses que je ne peux pas changer; si je ne peux pas les changer, m'inquiéter est sûrement ce qu'il y a de plus inutile et ridicule à faire.

Deuxièmement, il ne faut pas que je m'inquiète pour les choses que je peux changer; car si je peux les changer, alors agir me permettra de réaliser beaucoup plus de choses que de gaspiller mon énergie à m'inquiéter. De toute façon, je suis persuadé que, neuf fois sur dix, s'inquiéter pour une chose est beaucoup plus nuisible que la chose elle-même. Donnez à l'inquiétude la place qui lui revient — hors de votre vie.

Auteur inconnu

Je dois absolument
le faire rire

Pour rire, il faut être capable de se moquer de sa souffrance.

Annette Goodheart

Bobby avait treize ans. Il était l'un des neuf enfants d'une famille portugo-américaine. Il avait de beaux cheveux noirs, épais et soyeux, et des yeux clairs expressifs. C'était un garçon tranquille et poli. Ses professeurs l'aimaient, et ses frères et sœurs plus jeunes l'adoraient.

Sa famille était chargée de la traite, sur le ranch d'une autre famille. Elle travaillait dur pour joindre les deux bouts, en s'occupant des vaches. C'était une famille aimante mais très religieuse. Ils se levaient très tôt le matin et travaillaient dur toute la journée pour pouvoir subvenir à leurs besoins.

Ce fut un drame inimaginable lorsqu'on leur annonça que Bobby était atteint d'une leucémie, puis plus tard, d'un cancer des os. Ses parents faisaient de leur mieux pour refouler leur chagrin, leur inquiétude et leur peur. Son père cachait sa peine derrière un mur de stoïcisme et de travail acharné. Sa mère semblait vivre chacune de ses journées avec les larmes aux yeux.

Après leurs journées de travail, ils emmenaient Bobby à l'hôpital pour ses traitements, supportant les coûts en temps, en argent et en incertitude du mieux qu'ils le pouvaient. Quant à leur amour pour Bobby, ils l'exprimaient sans drames ni effusions, dans des regards silencieux — quand ils pensaient qu'il ne les voyait pas —

et quand ils essayaient de le rassurer en lui disant qu'ils étaient sûrs qu'il guérirait de cette « histoire de cancer ». Il ne leur vint jamais à l'esprit que l'humour manquait dans leur vie, tellement ils étaient empêtrés dans leur lutte pour leur survie financière, et pour la survie physique de leur fils aîné. Tous les matins et tous les soirs, les aiguilles de l'horloge de leur vie ne cessaient de tourner, et c'était l'heure de la traite. Maintenant, à cet horaire chargé venaient s'ajouter les heures de la médication régulière et les traitements de leur fils.

Vers la fin de sa lutte contre la maladie, Bobby me raconta cette histoire :

« Quand je suis rentré à l'hôpital pour la première longue série de traitements, il y avait là un infirmier qui s'appelait Floyd. Il me faisait penser à un joueur de football. Il était énorme et ne semblait jamais sourire.

« Un jour, Floyd entra dans ma chambre avec un respirateur. Parce que j'étais beaucoup trop faible pour faire quoi que ce soit d'autre que de rester allongé dans mon lit, mes poumons étaient affectés. Il me dit que je devais utiliser ce respirateur et que je devais souffler dedans à plusieurs reprises. Je devais souffler assez fort pour que la petite balle en plastique qui se trouvait à l'intérieur monte jusqu'au niveau inscrit sur la machine. Il avait fixé la figurine d'une petite danseuse hawaïenne au bout de la sortie d'air de l'appareil.

"O.K. p'tit gars, si tu souffles assez fort, tu soulèveras la jupe en feuilles de palmier de la danseuse!", dit-il. Puis sans un sourire, il quitta la pièce.

« J'étais stupéfait de ce qu'il venait de me dire, mais aussi ébahi qu'un infirmier fasse une chose aussi folle. Mais je ne pouvais m'empêcher de rire. Je devais absolument soulever cette jupe. Je finis par souffler tellement souvent dans la machine, qu'on dut me la confisquer pour un moment! Cette danseuse hawaïenne m'a beaucoup aidé. Je riais tellement! Je la montrai aussi à mes frères, mais je ne pouvais pas en parler à mes parents, car ils auraient été choqués.

« Puis un jour, on m'informa des traitements de radio-thérapie et de chimiothérapie que j'aurais à suivre. À mesure que les traitements progressaient, je perdis tous mes cheveux. Quand Floyd me ramena dans ma chambre après une séance épuisante de chimiothérapie, il apporta un sac en papier duquel il sortit une hideuse perruque noire, ainsi qu'un suçon. Il plaça cette perruque démesu-rée sur sa tête, commença à lécher le suçon, puis me dit : "T'as l'choix p'tit gars. Soit c'est la moumoute, soit c'est Kojak. Tu peux t'acheter une perruque, mais il faut que tu saches à quoi ressemblent les gens qui en portent une. Sinon, tu peux choisir de vivre avec une tête chauve, mais alors il va falloir que tu commences à lécher des suçons, comme la vedette du petit écran."

« En disant cela, il déposa la perruque et un suçon tout neuf sur mes genoux, et sortit de la chambre. Je com-mençai à rire. Je riais tellement que je ne pouvais plus m'arrêter. Il avait transformé ce qu'il y avait de pire en le rendant tellement drôle, que je me sentais maintenant capable de l'accepter. Cela ne m'importait plus d'avoir des cheveux ou non. Je m'imaginais cet homme dans ses vête-ments d'infirmier, avec cette affreuse perruque sur la tête. S'il pouvait ressembler à ça, moi aussi je le pouvais. »

Aujourd'hui, Bobby est un adolescent en pleine santé, avec de l'acné, un pick-up rapiécé — qu'il a fabriqué avec des pièces que son oncle lui avait données, et d'autres qu'il avait dénichées dans des dépotoirs d'automobiles. Il a une petite amie et l'attitude la plus optimiste de tous les jeunes de la ville. Ce sont les plaisirs simples de son âge.

Floyd lui a donné un outil qu'il va pouvoir utiliser pour toute une vie de joie — le sentiment d'espoir lorsqu'on regarde le côté plus léger, plus positif et inattendu, même dans les moments les plus pénibles de la vie.

Meladee et Hanoch McCarty

La plus grande découverte de tous les temps, c'est que les êtres humains peuvent transformer leur vie en modifiant leur état d'esprit.

Albert Schweitzer

La prothèse intruse

Rien n'est plus drôle que l'humour involontaire de la vie.

Steve Allen

D'habitude, je ne suis pas du genre gênée, même si j'ai eu une jambe amputée à l'âge de dix ans, à cause du cancer.

Non seulement le fait de grandir avec une seule jambe n'a-t-il pas mis un terme à mes performances sportives, mais ça n'a fait qu'accentuer mon goût pour la plongée sous-marine, la danse et la randonnée. De plus, le fait de vivre avec une seule jambe a donné lieu à un nombre considérable de situations cocasses, comme celle que je vais vous raconter maintenant :

« Dave, réveille-toi! Dave! Il y a quelqu'un dans le sous-sol! »

Il n'y avait rien à faire pour le réveiller. J'entendis un bruit, comme si quelqu'un de soûl trébuchait dans notre sous-sol. Puisqu'il était évident que mon petit mari au sommeil profond n'allait pas se laisser déranger par ce satané intrus, je décidai d'appeler la police.

Je leur ouvris la porte en fauteuil roulant, et leur dis d'où je pensais que le bruit provenait. Deux des officiers de police allèrent voir dans le jardin s'ils ne trouveraient pas des traces de pas dans la neige fraîchement tombée de ce mois de mars, tandis que le troisième descendit au sous-sol pour vérifier s'il y avait un rôdeur.

Après quelques minutes, les deux policiers rentrèrent de l'extérieur pour me dire qu'ils n'avaient trouvé aucune trace de pas. Nous attendîmes que le troisième policer remonte du sous-sol. Lorsqu'il en revint enfin, il avait de la difficulté à respirer et son visage était blême.

Nous nous dîmes alors qu'il devait sûrement s'être retrouvé face à face avec l'intrus qui n'avait laissé aucune trace de pas dans la neige. Nous attendîmes qu'il reprenne son souffle, puis il nous dit d'une voix haletante : « Vous ne m'aviez pas parlé des prothèses que vous avez dans le sous-sol! » (C'est vrai que j'étais allée leur ouvrir la porte en fauteuil roulant!)

Il semblerait qu'il soit tombé sur une de mes prothèses chaussées qui sortait de la penderie, alors qu'il inspectait le sous-sol. Il avait alors sorti son fusil et avait failli tirer sur cette maudite chose!

Inutile de dire qu'après avoir cessé de rire comme des fous, vers deux heures du matin, et que le pauvre homme arrêta de trembler, les policiers me dirent que ce serait le plus intéressant des appels de nuit qu'ils auraient à raconter à leurs collègues.

Eh bien, Messieurs les policiers, heureuse d'avoir pu vous être utile.

Maureen J. Khan-Lacoss

Rechercher
ce qu'il y a de plus efficace

Chaque être humain possède un merveilleux système qui lui permet de lutter contre la maladie. Ce système dote le corps de cellules anticancéreuses. Ce sont des cellules qui sont capables de détruire les cellules cancéreuses, ou de les empoisonner une par une grâce à la chimiothérapie du corps humain.

Ce système a de meilleures chances de bien fonctionner si le patient réussit à se débarrasser de ses sentiments de dépression — ce qu'une ferme volonté de vivre et une grande détermination peuvent aider à accomplir. Quand nous ajoutons ces ressources intérieures aux ressources de la science médicale, nous accédons à ce qu'il y a de plus efficace.

Norman Cousins

Il s'agit d'une nouvelle approche chirurgicale. Au lieu de vous laisser vous tordre de douleur, on vous fait vous tordre de rire. Comme cela, on n'a pas besoin de vous recoudre après.

Reproduit avec la permission de Harley Schwadron.

Victime ou survivant

Bien que la définition dise : « Un survivant du cancer est quelqu'un qui a déjà été diagnostiqué avec un cancer, mais qui est encore vivant aujourd'hui », la première fois que je l'ai lue, je trouvai qu'elle ne s'appliquait pas à mon cas. « Victime du cancer » me paraissait un terme plus adéquat. Puis, la poussière est retombée, mes traitements ont commencé, et je réalisai que cette affaire de « victime » n'allait vraiment pas.

Je mis de côté la question « victime/survivant » et arrivai enfin à la conclusion qu'être une victime ou un survivant, c'était exactement la même chose, enfin presque. Les différences sont à la fois subtiles et énormes. La première chose que je réalisai, c'était qu'un survivant était une victime avec une attitude. Après que j'eus compris cela, les choses allèrent un peu mieux. Je pouvais choisir entre être une victime du cancer ou être une survivante du cancer. L'idée d'avoir une attitude me plaisait, et il me semblait que le mot survivant sonnait bien.

Puis, je me souvins d'une de mes amies qui souffrait d'un cancer métastatique du sein; elle incarnait le meilleur exemple qui soit d'une survivante du cancer. Pour Barbie, survivre était un état d'esprit. Malgré les moments de tristesse et de souffrance, elle ne perdit jamais sa capacité de rire de certaines absurdités du cancer et de ses traitements. Elle profitait pleinement de chaque instant et faisait face à toute situation nouvelle de son mieux. Le cancer finit par se propager dans tout son corps, mais elle ne le laissa jamais atteindre son esprit. Je pense à elle comme à une survivante, au sens le plus vrai du terme.

Progressivement, la différence entre un survivant et une victime devint plus claire, et je commençai à faire une liste. Je suis sûre que chaque survivant aurait des choses à rajouter. Ceci n'est qu'un début :

- Être une victime est un état du corps. Être un survivant est un état d'esprit.

- Une victime a peur que ses cheveux tombent. Un survivant sait qu'être chauve, c'est beau.

- Une victime sait ce qu'est d'être déprimée. Un survivant sait qu'être déprimé n'est pas si grave que ça.

- Une victime redoute les effets secondaires des traitements. Un survivant se demande comment annuler son inscription au « club d'effets secondaires du mois ».

- Une victime s'étonne chaque fois qu'elle voit des larmes. Un survivant ne sort jamais sans mouchoirs de papier.

- Une victime va « voir » un médecin. Un survivant va « consulter » son médecin.

- Une victime se laisse gagner par le désespoir. Un survivant prie beaucoup.

- Une victime se sent impuissante. Un survivant dit « merci » avec dignité et grâce.

- Une victime apprécie un rire. Un survivant adore un bon rire.

- Dès que nous apprenons le diagnostic, nous sommes des victimes. Nous devons *choisir* d'être des survivants.

Paula (Bachleda) Koskey

Avoir une attitude

L'attitude, c'est ce qu'il y a de plus important dans la guérison du cancer. Tu dois avoir une attitude, si tu t'attends à recevoir une râclée et à t'en remettre sans une seule égratignure.

La manifestation de la tumeur n'est ni chaleureuse, ni amicale; elle est agressive, voire méchante, et de mauvais goût, un genre de chimiothérapie pour l'esprit — nécessaire mais (pas toujours) très agréable.

Robert Lipsyte

4

LA FOI

J'ai découvert l'importance d'avoir
quatre genres de foi
pour guérir d'une maladie grave :
la foi en soi-même, la foi en son médecin,
la foi en son traitement et la foi spirituelle.

Dr Bernie S. Siegel

Dites une prière

Je faisais ma promenade matinale lorsqu'un camion à ordures s'arrêta près de moi. Je pensai que le chauffeur allait me demander des indications sur la route à prendre. Au lieu de cela, il me montra la photo d'un mignon petit garçon de cinq ans : « C'est mon petit-fils, Jérémie », dit-il. « Il est présentement en réanimation à l'hôpital de Phoenix. »

Pensant qu'il allait me demander une contribution pour l'aider à payer ses factures d'hôpital, je sortis mon porte-monnaie. Mais il voulait quelque chose de plus que l'argent : « Je demande à toutes les personnes que je rencontre de dire une prière pour lui. Pourriez-vous en dire une pour lui, s'il vous plaît? » C'est exactement ce que je fis. Ce jour-là, mes problèmes me parurent bien insignifiants.

Bob Westenberg

Priez Dieu, mais ramez jusqu'au rivage.

Proverbe russe

Ne vous inquiétez pas — soyez heureux

*Pourquoi, quand nous parlons à Dieu, sommes-
nous en train de prier, et quand Dieu nous parle,
nous sommes schizophrènes?*

Lily Tomlin

En décembre 1991, on diagnostiqua un cancer du rectum qui s'était propagé à cause de ma répugnance à le
faire examiner par un médecin. Vers la mi-janvier 1992,
on m'opéra pour une résection du côlon.

Au printemps et pendant l'été, je concentrai toute
mon énergie à guérir, mais les choses allaient mal là-
dedans, et je le savais. Je souffrais beaucoup et je ressentais beaucoup trop de mouvements intestinaux, tous les
jours. Ils m'opérèrent une première fois pour chercher la
cause, puis une seconde fois pour ouvrir mon rectum. Les
médecins décidèrent de procéder à une colostomie. J'en
avais assez d'être un « chat d'hôpital », je voulais en finir
avec tout cela et recommencer à vivre. Une troisième opération fut programmée.

En mars 1993, j'avais eu ma colostomie, mais je reçus
aussi de mauvaises nouvelles. Pendant mon opération, le
médecin avait remarqué un tissu qui semblait cancéreux,
mais il n'avait pas pu à la fois procéder à la colostomie et
s'occuper de ce tissu. Alors, il avait pris quelques biopsies
avant de me recoudre. Les biopsies révélèrent que le cancer était réapparu au même endroit (la zone du rectum)
et qu'il était en train de se propager. J'étais déprimé au-
delà de ce que l'on peut imaginer. C'était un matin du
mois de mars, pluvieux et triste, et je regardais la pâle

lueur de l'aube par ma fenêtre striée de pluie. J'étais déprimé, désespéré. Allongé sur mon lit d'hôpital, je pouvais entendre les paroles de mon médecin : « C'est vraiment problématique, Paul. Il va falloir que tu te fasses opérer par une autre équipe de chirurgiens qui ont l'habitude de ce genre de chirurgies pelviennes. Moi, je ne peux vraiment rien faire de plus pour toi. »

J'avais toujours fui la religion et j'avais toujours essayé de prouver que Dieu n'existait pas à tous ceux qui étaient persuadés du contraire. J'étais un empiriste et j'étais fier de mon détachement intellectuel. Mais allongé sur mon lit ce matin-là, au fond du désespoir et dégoûté de tout, je demandai à Dieu de m'aider.

Quelques minutes plus tard, je tombai dans un sommeil irréel et fus surpris de me voir en train de marcher sur une rue du centre-ville, bordée de trottoirs. « Ce n'est pas un rêve », pensai-je. « Je suis vraiment debout sur le coin de cette rue typiquement américaine, à regarder autour. » C'est à ce moment-là que trois personnes apparurent de l'autre côté de la rue, marchant vers moi. Il y avait deux hommes et une femme. Les hommes s'arrêtèrent pour s'asseoir sur le bord du trottoir, puis ils se mirent à discuter. La femme se dirigea vers moi en souriant; elle dégageait une telle énergie de joie et d'amour que j'étais complètement absorbé par sa présence. Elle mit son bras autour de moi, et je fus rempli d'une joie céleste. Une attention sincère et une force d'amour se dégageaient de son corps, me captivant complètement. Elle était magnifique. Ses yeux étaient bruns et ses cheveux étaient noirs, coupés courts. Elle me faisait penser au Prince Vaillant. Gardant son bras autour de moi, elle me regarda dans les yeux et dit : « Vous irez bien maintenant, vous n'aurez plus de problèmes de santé. Soyez heureux et ne vous inquiétez plus. Tout ira bien. S'il vous plaît, soyez heureux et ne vous inquiétez pas. »

À ce moment-là, je compris que mon temps était écoulé, et qu'ils allaient partir. Les deux hommes se levèrent et tous trois commencèrent à s'éloigner. Je me souviens avec quelle insistance je les suppliai de rester. La femme fut la dernière à partir et elle se tourna vers moi pour me dire encore une fois : « Ne vous inquiétez pas, soyez heureux. Tout ira très bien. »

Huit mois et une série de traitements de chimiothérapie plus tard, une équipe de trois chirurgiens, dans un centre médical de Portland, en Oregon, m'ouvrirent (c'était ma quatrième opération) et ne trouvèrent aucune trace de cancer — bien que seulement six mois auparavant, une tomodensitométrie ainsi que des IRM aient révélé que le cancer se propageait jusqu'à ma prostate, ma vessie et toute la région pelvienne. Les trois médecins furent extrêmement surpris et ravis de ce qu'ils n'avaient pas découvert. J'étais complètement propre — toutes les biopsies étaient négatives.

Paul Santaro

La foi, c'est croire ce que nous ne voyons pas; la récompense de cette foi, c'est voir ce en quoi nous croyons.

Saint Augustin

Tout ce dont vous aurez besoin

Je me levai de nouveau très tôt ce dimanche matin-là, 29 mars 1992, avec notre fils de neuf ans, Nicholas. Cela me prit plusieurs minutes pour arrêter, encore une fois, le saignement de son nez. Depuis maintenant six semaines, c'était devenu une routine. Les médecins avaient dit qu'il s'agissait d'une infection du sinus, pour laquelle il suivait des traitements depuis le mois de février. Le vendredi d'avant, nous étions allés voir le médecin, une fois de plus.

Vers 7 h 30, ce dimanche-là, mon mari et moi décidâmes d'emmener Nicholas à l'urgence, à environ 40 kilomètres de chez nous. Le médecin de l'urgence eut de la difficulté à cautériser les parois de son nez pour arrêter le saignement. Il était prêt à nous renvoyer chez nous, lorsque je ressentis le besoin de demander qu'on lui fasse passer un examen du sang. Nicholas avait perdu assez de sang, il était fatigué et sans énergie; je pensais qu'il pouvait être anémique. Après la prise de sang, on nous dit que nous pouvions rentrer à la maison, et que le laboratoire nous contacterait si quelque chose se révélait. Nous décidâmes de rester sur place pour attendre les résultats.

L'attente fut beaucoup plus longue que nous l'aurions imaginé. Finalement, le médecin de l'urgence revint pour nous dire qu'il allait contacter le pédiatre de garde, car les examens hématologiques avaient révélé quelque chose. Je me dis qu'il s'agissait certainement d'une leucémie, mais je décidai de ne pas partager mes craintes avec mon mari. Le pédiatre ne tarda pas à arriver pour confirmer mes peurs. Nous rentrâmes à la maison en état de choc, rassemblâmes quelques vêtements, fîmes quelques appels téléphoniques à des parents et amis, et nous mîmes en route pour le Primary Children's Medical Center, à Salt Lake City dans l'Utah. Bien qu'il ne se trouve qu'à environ quatre heures et demie de notre maison du sud de l'Idaho, le trajet nous sembla durer des jours.

Une leucémie lymphoblastique aiguë fut diagnostiquée. Nicholas passa quatre jours en soins intensifs et deux autres jours sur le même étage. Il reçut de très bons soins, et les médecins nous assurèrent que toutes les chances étaient de son côté, bien que le pronostic du début n'ait pas été très encourageant. Ils planifièrent trois années de traitements de radiation cérébrale et de chimiothérapie.

Une fois rentrés à la maison, j'essayai de reprendre un semblant de vie normale. Je tournai la page du calendrier qu'une bonne amie m'avait offert pour Noël, et sur lequel étaient inscrits des textes à méditer pour chaque jour. Il était ouvert au 29 mars, le jour où Nicholas avait été diagnostiqué. Le message pour cette journée-là était le suivant : « Tout ce dont vous aurez besoin pour ce voyage a été prévu et planifié d'avance. » Je me sentis réconfortée et rassurée. Je sentais que c'était Dieu qui nous envoyait ce message.

Trois années sont passées, et Nicholas vient de terminer ses traitements. Il y a eu beaucoup de hauts et de bas sur notre route, mais aussi beaucoup de merveilleux gestes de bonté. Je relis souvent le message : « Tout ce dont vous aurez besoin pour ce voyage a été prévu et planifié d'avance. » Et ce fut le cas !

Dianne Clark

J'ai dit une prière pour toi aujourd'hui

J'ai dit une prière pour toi aujourd'hui

Et je sais que Dieu l'a entendue

J'ai senti la réponse dans mon cœur

Bien qu'Il n'ait prononcé aucune parole!

Je n'ai pas demandé la richesse ou la gloire

(Je savais que cela te serait égal)

Je Lui ai demandé de déverser des trésors

Qui durent beaucoup plus longtemps!

Je Lui ai demandé qu'Il soit près de toi

Au commencement de chaque journée

Pour te donner santé et bénédictions

Et des amis qui feront route avec toi!

Je Lui ai demandé le bonheur pour toi

Dans les grandes et les petites choses

Mais c'était pour Son attention bienveillante

Que j'ai prié le plus.

Auteur inconnu

5

L'AMOUR

*Il n'existe aucune difficulté que l'amour ne puisse
neutraliser; aucune maladie que l'amour ne puisse
guérir; aucune porte que l'amour ne puisse ouvrir;
aucun gouffre au-dessus duquel l'amour ne puisse
construire un pont; aucun mur que l'amour ne
puisse démolir; aucun péché que l'amour ne puisse
racheter...*

*Que le problème paraisse insolvable, l'avenir sans
espoir, la situation embrouillée, la faute impardon-
nable, une manifestation suffisante d'amour peut
tout dissiper. Si seulement vous pouviez aimer
assez, vous seriez la personne la plus heureuse et la
plus puissante au monde.*

Emmet Fox

L'histoire d'Eileen Brown

Je n'oublierai jamais le jour où j'ai appris que j'avais le cancer. Je rappelai le médecin. C'était un jeudi après-midi, il était 16 h 15, et je venais tout juste d'avaler la dernière bouchée de mon muffin, lorsque la réception-niste répondit au téléphone : « Le bureau du médecin, puis-je vous aider ? »

« Oui, je suis Eileen Brown. Je vous appelle pour avoir les résultats de mes tests. »

« Pouvez-vous patienter une minute ? Le docteur est présentement en consultation. »

« Je n'ai pas besoin de parler au médecin. Vous pouvez me donner mes résultats. »

Je vais être en retard à l'école et je ne trouverai jamais de place de stationnement, pensai-je.

Je ne comprends pas pourquoi l'infirmière ne me dit pas simplement que tous les tests sont négatifs. Après tout, c'est la semaine dernière que j'ai passé ma mammogra-phie ; si quelque chose n'allait pas, le médecin m'aurait déjà téléphoné.

« Bonjour, Eileen. »

« Salut, docteur ! Alors, c'est quoi la bonne nouvelle ? Je vais être en retard pour l'école, alors dites-moi que tout va bien pour que je puisse partir. »

« Pas si vite, Eileen. Ça fait trois jours que j'essaie de vous joindre. Vous avez une bosse sur votre sein droit. » Mon estomac se noua. J'étais en état de choc. La seule chose à laquelle je pouvais penser était : *s'il vous plaît, mon Dieu, faites que je n'aie pas besoin d'être opérée. J'ai si peur qu'on m'endorme. Et si je tombais dans le coma ?*

« Eileen, m'avez-vous bien entendu ? » la voix du médecin me ramena sur terre.

« Oui, mais ce n'est pas très grave, n'est-ce pas ? Je n'ai pas besoin d'être opérée, n'est-ce pas ? » demandai-je.

« Eileen, la bosse doit être enlevée. »

Je me mis à le supplier : « Vous n'êtes pas en train de me dire que j'ai le cancer, n'est-ce pas, docteur ? » *S'il vous plaît, mon Dieu, pas mon sein, je ne peux pas perdre mon sein.*

« Je suis très sérieux, Eileen ; d'après les rayons X et le rapport écrit, vous avez une tumeur maligne sur votre sein droit. Je vous ai fixé un rendez-vous pour samedi matin avec le Dr Johnson*, un chirurgien du sein. »

Paralysée, je raccrochai le téléphone, descendis en courant dans le sous-sol, m'assis sur le plancher froid en ciment et me mis à pleurer. J'avais l'impression de sortir de mon corps. C'était quelqu'un d'autre que je regardais. Tout ceci ne pouvait pas être vrai, pas maintenant. Mon mari, Bob, et moi étions encore des nouveaux mariés (depuis seulement 16 mois). J'avais trois beaux enfants de mon premier mariage, une famille que j'aimais beaucoup et un merveilleux nouvel emploi comme enseignante. Je serrai mon sein au travers de ma chemise humectée de larmes. *Je ne veux pas quitter ma famille, pas maintenant. Je ne suis pas prête à mourir*, pensai-je.

Pendant les jours qui suivirent, mes parents et proches amis essayèrent de se persuader et de me persuader que la bosse n'était en fait rien du tout, et que les médecins s'étaient trompés. Des pensées de mort nous traversèrent l'esprit, mais nous avions tous trop peur pour en

---

* Le nom du Dr Johnson a été changé pour préserver son identité.

parler. Nous vécûmes la semaine suivante comme dans un brouillard, alors que nous essayions de continuer à vivre en attendant le jour du rendez-vous avec le Dr Johnson. Quand le jour arriva enfin, ma famille m'accompagna. Le Dr Johnson confirma le rapport et nous dit qu'il allait pratiquer une aspiration, une opération qui consiste à introduire une aiguille dans le sein pour extraire du liquide et des tissus de la tumeur.

Les vingt minutes à attendre avant de recevoir les résultats nous ont paru une éternité. J'arpentais de long en large la cafétéria où on nous avait demandé d'attendre.

« Eileen, assieds-toi et bois quelque chose. Tout ce que nous pouvons faire maintenant, c'est attendre », me dit mon père.

« Je n'ai pas besoin d'attendre pour qu'on me dise que j'ai un cancer. Nous le savons déjà. Tout ce que nous attendons maintenant, c'est une petite lueur d'espoir. Je ne peux ni boire ni avaler quoi que ce soit. Tout ce que je veux faire, c'est m'enfuir, mais... je suppose que je ne peux pas m'enfuir de moi-même », répondis-je.

Après 25 minutes d'angoisse, nous retournâmes dans le bureau du Dr Johnson. Je n'étais pas du tout préparée à l'accueil que j'ai reçu : « Où étiez-vous ? » me demanda-t-il brusquement. « Vous savez, il y a des gens qui aimeraient sortir d'ici et rentrer chez eux. »

« Quels sont les résultats, docteur ? » demandai-je, choquée.

« C'est une tumeur maligne. Je vais procéder à l'ablation de votre sein dans une semaine. » Bob mit sa main sur mon épaule et les larmes se mirent à couler.

Je demandai : « Docteur, pensez-vous que vous pourrez me donner quelque chose pour me calmer d'ici à l'opération? »

Il me répondit froidement : « Désolé, mais je ne suis pas partisan de prendre des pilules pour masquer ses émotions. Vous allez devoir apprendre à vivre sans un sein de toute façon. Vous feriez mieux de commencer tout de suite. »

Nous quittâmes tous les quatre l'hôpital en silence. Bob me tenait la main, tandis que ma mère et mon père pleuraient. Nous nous rendîmes chez ma mère à Brooklyn, où mes frères et ma sœur attendaient que nous leur annoncions la nouvelle.

Ce fut ma sœur, Karen, qui réagit le plus mal. Tout le monde pleurait mais avait accepté le fait. Elle en fut incapable : « Ils se sont trompés », disait-elle en me fuyant. Je la suivis d'une chambre à l'autre, l'attrapai par les épaules et lui dis : « Tous les médecins ne peuvent pas s'être trompés et tous les examens ne peuvent pas être faux. Tu fuis la réalité depuis une semaine, tu ne peux pas continuer ainsi. J'ai le cancer! » Ses jambes commencèrent à trembler et elle sanglota de façon incontrôlable, alors que je la tenais dans mes bras en essayant de la consoler.

Je m'étais toujours considérée comme quelqu'un de faible, incapable de faire face à quelque crise que ce soit. Je n'étais certainement pas celle qui pouvait réconforter les autres. Toutefois, ce fut à ce moment que je réalisai que j'allais devoir être forte, car tout le monde comptait sur moi pour leur donner l'exemple. Aussi longtemps que je ne me laisserais pas aller à pleurer, ils auraient peur de pleurer devant moi. Nous apprîmes à profiter de la nuit et de nos moments de solitude pour pleurer. Nous décidâmes d'être forts pendant la journée, pour nous encourager les uns les autres.

Bob et moi rentrâmes à la maison. J'annonçai aux enfants — Scott 16 ans, Adam 14 ans et Corinne 7 ans — que je devais être opérée, mais que tout irait bien. Comment parler d'ablation d'un sein avec ses enfants?

Cette nuit-là, je ressentis le besoin urgent de mettre mes affaires en ordre; je rangeai ma garde-robe. Je ne voulais pas que quelqu'un d'autre ait à mettre de l'ordre dans ma vie. Toutes ces cartes très spéciales, ces fleurs séchées et ces souvenirs — qui ne voulaient rien dire pour personne d'autre que moi — furent jetés à la poubelle. Lorsque ce fut l'heure d'aller dormir, Bob me prit dans ses bras tandis que je pleurais en silence. J'étendis le bras pour toucher son visage et je réalisai que je n'étais pas la seule personne qui pleurait cette nuit-là. Nos peurs étaient confirmées.

La nuit passa. Le soleil se leva le lendemain matin, comme d'habitude. Les enfants se préparèrent pour l'école, tandis que Bob et moi nous habillâmes pour aller travailler. Avant de quitter la maison, je reçus un appel de Jeff, mon ex-mari. Il me parla d'un article qu'il avait lu dans *Good Housekeeping,* qui donnait la liste des meilleurs chirurgiens du pays pour les seins. Il avait remarqué le nom d'une femme médecin, Alison Goldfarb, qui était affiliée à l'hôpital Mont Sinaï, qui se trouvait près de chez nous. Après l'expérience que j'avais eue avec le Dr Johnson, Jeff suggéra que peut-être une femme serait plus compréhensive pour ce genre d'opération. Plus tard cette journée-là, j'appelai le Dr Goldfarb et pris rendez-vous avec elle le jour suivant, pour une deuxième opinion.

Ma mère et ma sœur m'accompagnèrent au bureau du Dr Goldfarb, puis entrèrent dans le cabinet de consultation après que le médecin m'eut examinée.

Dr Goldfarb me dit qu'elle souhaitait que j'aie une sénoplastie (chirurgie de reconstruction) immédiatement après mon opération, parce que j'étais encore une jeune femme. Je me mis à trembler des pieds à la tête. Je pleurais des larmes de joie. C'était le seul médecin qui semblait penser qu'il y avait encore de l'espoir et qui me parlait de l'avenir — la seule qui me fît sentir que j'allais continuer à vivre. Je lui demandai d'être mon médecin.

Le Dr Goldfarb me sourit chaleureusement et s'empressa de me fixer un rendez-vous avec un chirurgien spécialisé en sénoplastie, le Dr Skolnik. Celui-ci nous montra des diapositives de plusieurs poitrines, de toutes formes et de toutes tailles. Il y avait des femmes qui avaient eu une sénoplastie avec ou sans mamelon. Nous ne pouvions pas voir le visage de ces femmes, mais seulement leurs seins défigurés. « Ceux-là n'ont pas l'air si mal, non ? » demandai-je à ma mère qui était assise derrière moi. Je me tournai vers elle pour savoir si elle était d'accord avec moi. Elle avait l'air horrifiée : représentation réelle de ce que je ressentais moi-même. Le fait d'être toutes les trois ensemble dans ce bureau nous permit de tenir le coup. Nous nous efforcions d'être courageuses l'une pour l'autre.

Après avoir pris connaissance des différentes options qui existaient pour ce qui est du procédé de sénoplastie, je choisis l'opération qui nécessitait le moins de chirurgie possible. Il s'agissait de placer un ballonnet sous ma peau et de le remplir d'une solution saline. La peau s'étirerait, prendrait la forme du ballonnet et formerait ainsi un sein. Un mamelon serait ajouté par la suite. Un rendez-vous fut fixé pour prendre des photos « avant ». On me demanda d'enlever ma chaîne pour ne pas être identifiée. Je serais moi aussi une des femmes sans visage des diapositives.

Il ne restait plus que deux semaines avant mon opération. Je ne savais plus si je voulais que le temps passe vite ou qu'il s'arrête tout de suite. J'avais tellement de choses à régler avant.

Une des choses qui me restait à faire était d'informer M. Russo, le directeur de l'école où je travaillais, de ce qui m'arrivait. J'avais très peur de perdre l'emploi à temps plein que j'avais obtenu seulement un mois auparavant. J'avais travaillé comme remplaçante dans cette école, au jour le jour, et on m'avait proposé un emploi à temps plein lorsqu'un des professeurs dut s'absenter pour le restant de l'année. J'avais promis au directeur que je serais là tous les jours sans faute. Maintenant, je devais lui dire que j'avais un cancer et que j'avais besoin d'un mois de congé.

Avec nervosité, je me suis approchée de M. Russo, en essayant de refouler mes larmes, et lui expliquai ma situation. Sa réponse me fait chaud au cœur encore aujourd'hui : « Ne pleurez pas, il n'y a rien de plus important que votre santé. Prenez tout le temps dont vous avez besoin. Je vais chercher quelqu'un pour vous remplacer. Quand vous vous sentirez assez bien pour recommencer à travailler, vous n'aurez qu'à revenir me voir, votre poste vous attendra », dit-il. Je ne peux toujours pas croire qu'il ait engagé une remplaçante pour remplacer une remplaçante.

Il fallait aussi que je me prépare pour mon séjour à l'hôpital. Ma mère et ma sœur m'accompagnèrent pour aller m'acheter des vêtements de nuit et une robe de chambre. Rien n'était trop cher pour elles. Tout ce qui me plaisait, ou dans lequel je me sentais confortable, elles me l'achetaient.

Alors que nous étions dans le magasin, j'entendis une femme dire à sa compagne : « Je paierais le prix de cette robe seulement si je savais que j'allais mourir du cancer. Je n'aurais pas à m'inquiéter de la facture. » Ma mère est devenue blanche comme un drap. Je lui dis que moi aussi j'avais entendu, mais que ce n'était pas grave, car elles ne pouvaient pas savoir.

Vendredi après l'école, je dus me rendre à l'hôpital pour des examens préopératoires : des analyses du sang et d'urine, un cardiogramme ainsi qu'une radiographie des poumons. Je fus prise de panique au moment de passer le rayon X. *Et si mes poumons aussi étaient atteints?*, me demandai-je. Je me mis à trembler tellement qu'on dut me réchauffer avec des couvertures. Je jouai un jeu d'esprit avec moi-même : si on n'avait pas à refaire le rayon X, alors il n'y avait rien de grave. Mais pourtant, on n'avait pas eu à refaire une autre mammographie.

Jusqu'au jour de mon opération, nous faisions tout pour faire croire que nous continuions à vivre une vie tout à fait normale. Mais ce que je trouvais le plus difficile, c'était de prendre ma douche. Chaque jour, j'étais obligée de laver et de toucher cette chose qui allait peut-être me faire mourir. Je restais paralysée, alors que l'eau se mêlait à mes larmes salées. Quand enfin j'arrêtais de pleurer, je me mettais devant le miroir pour m'essuyer et recommencer. Cela faisait partie de moi. Quand le temps était venu de quitter la salle de bain, je devais avoir un visage souriant et je devais agir comme si tout allait bien. Je ne pouvais pas laisser voir à mes enfants la peur que j'éprouvais intérieurement.

Bob portait avec moi la plus grande partie de mes souffrances. Il était mon libérateur, mon sauveur. C'était sur Bob que je me défoulais et déversais mes frustrations. Il savait que j'étais une bombe à retardement ambulante, prête à exploser à n'importe quel moment. J'avais besoin de quelqu'un à qui confier mes peurs.

Le lundi matin, je reçus un message très urgent : « Appelez le Dr Goldfarb immédiatement, très important. » La pièce se mit à tourner et tout devint noir. Il y avait quelque chose qui n'allait pas avec les tests. On avait trouvé quelque chose d'autre. J'en étais certaine.

En fin de compte, cela n'avait rien à voir avec les tests. Quelqu'un avait simplement annulé son rendez-vous, et le Dr Goldfarb proposait de m'opérer le lendemain matin à neuf heures — une semaine avant la date prévue.

« Croyez-moi, Eileen, il s'agit d'un cadeau de la Providence. À cette heure-ci, la semaine prochaine, tout cela fera partie du passé », dit le Dr Goldfarb.

« Je ne peux pas le faire. Je ne peux vraiment pas. Je n'ai pas de pantoufles. Je ne suis pas prête. Mon Dieu, je ne suis pas prête du tout! »

« Eileen, vous n'avez pas besoin de pantoufles. Vous pouvez vous faire opérer d'abord, ensuite nous vous achèterons des pantoufles. Veuillez s'il vous plaît m'écouter et épargnez-vous beaucoup de peine. Je vous verrai à l'hôpital à sept heures. » J'acceptai, puis j'appelai Bob et ma mère pour leur raconter ce qui arrivait.

Je conduisis de l'école à la maison comme dans un brouillard. Je me gardai le plus occupée possible jusqu'à ce que Bob rentre à la maison. Je passai l'aspirateur, époussetai, préparai mes affaires, lavai et coiffai mes cheveux, me rasai les jambes et pleurai.

Je ne reçus presque pas d'appels ce soir-là; tout le monde avait peur de me parler. Ils ne savaient pas quoi me dire ni comment me le dire. Je dis à Adam et à

Corinne que j'allais devoir aller passer d'autres examens en ville et que Tante Shelley passerait les prendre à l'école.

Pendant la nuit, Bob me tint dans ses bras et tenta de me réconforter en me disant que rien ne changerait pour lui, tant qu'il ne me perdrait pas. Il me dit qu'il m'aimait en entier, pas seulement une partie. Il me dit que j'étais belle à l'intérieur comme à l'extérieur, et qu'aucune opération ne pourrait changer cela. Mais quoi que Bob me dise, c'était comme si je le trahissais. Il méritait une femme complète, une femme qui avait deux seins. Nous nous accrochâmes l'un à l'autre toute la nuit, chacun de nous prenant et donnant du réconfort. Je savais que quoi qu'il arrive le jour suivant, ma famille allait être là pour moi. Leur amour était vraiment inconditionnel.

Quand le soleil se leva le jour suivant, Bob et moi nous habillâmes en silence. Nous n'osions pas parler, car les enfants se préparaient pour l'école. Le trajet jusqu'à l'hôpital se fit dans la tension et le silence. Nous ne savions pas quoi dire. Bob roulait à la vitesse permise, mais c'était comme si nous étions arrivés trop vite. J'avais besoin de plus de temps. Je n'étais pas prête. Serais-je jamais prête?

Nous stationnâmes la voiture et rentrâmes à l'intérieur. Ma mère, mon père, ma sœur et tante Florence étaient déjà là; ils avaient eu peur de ne pas me voir avant que je monte à l'étage. Nous nous embrassâmes tous. Personne ne voulait être le premier à pleurer ou à se laisser aller. Les seuls mots prononcés furent : « Je t'aime. »

On m'emmena dans une autre pièce, pour que je puisse me changer et enfiler une robe, puis on commença une intraveineuse. Je m'assis sur le lit et m'efforçai de parler de tout et de rien avec ma mère et ma tante. Mon cœur battait tellement fort que je n'entendais rien de ce que l'on me disait. On me permit de rester dans la salle d'attente avec ma famille jusqu'à ce qu'un infirmier vienne me chercher.

À 8 h 45, la civière arriva; c'était l'heure. Nous nous embrassâmes tous et nous serrâmes l'un contre l'autre. *Mon Dieu, en m'ouvrant ils pourraient découvrir que le cancer s'est propagé*, pensai-je. Le médecin autorisa Bob et ma mère à monter avec moi. Je ne voulais pas lâcher leurs mains, ils étaient mon lien de sécurité, mais il fallait lâcher prise. J'avais été courageuse et forte jusque-là, mais maintenant que je me trouvais dans la zone préopératoire, je ressentais le poids des dernières semaines. Mon Dieu, que je ne voulais pas lâcher la main de ma mère. Elle prendrait soin de moi. Les seuls mots qui sortaient de ma bouche étaient : « J'ai peur! » Les larmes se mirent à couler et c'est à ce moment-là que je sus ce qu'avoir peur voulait vraiment dire. Maman et Bob m'embrassèrent tous les deux et me dirent combien ils m'aimaient. Bob mit son bras autour de Maman pour la soutenir. Cela me réconforta de savoir qu'ils étaient là l'un pour l'autre.

Nous étions dans la salle d'attente depuis seulement cinq minutes lorsqu'on leur dit qu'ils devaient s'en aller. Je pensai : *Je vous en supplie, ne me laissez pas ici toute seule, je me sens si seule. Oh, mon Dieu! Je suis livrée à moi-même maintenant. Je peux encore descendre de la civière et m'enfuir. Mais où pourrais-je m'enfuir? Mes jambes sont paralysées. Je suis complètement paralysée de peur.* Les lumières m'aveuglèrent alors qu'on m'emmena dans la salle d'opération.

Dr Goldfarb s'approcha de moi et me prit la main : « Je suis à côté de vous, Eileen. Je vais juste me déplacer de l'autre côté. » Je fermai les yeux et pensai : *Ne vous trompez pas de sein.*

Dieu a été bon. Je dormis paisiblement. L'opération dura beaucoup plus longtemps que prévu, elle dura jusqu'à 17 heures, mais tout se passa bien. Onze ganglions lymphatiques furent enlevés et, fort heureusement, le cancer ne s'était pas métastasé.

La première personne que je vis après mon opération fut ma sœur, Karen. Mon Dieu! Son sourire éclairait tout l'étage. Elle appela le reste de la famille : « La voilà! Là voilà! Dépêchez-vous! » en se précipitant vers moi. Elle me regarda et dit : « Tu es magnifique. Tu as l'air si belle. » Jusqu'à ce jour, je ne m'étais jamais sentie et je ne me sentirai jamais aussi belle que ce jour-là. Je regardai dans ses yeux et sus que c'était de cette manière qu'elle me voyait.

Je reçus tellement de fleurs et de cartes pendant mon séjour à l'hôpital que le personnel et les malades pensaient que j'étais quelqu'un de vraiment important. Ils avaient raison. J'étais très importante pour beaucoup de personnes.

J'eus ma mastectomie le mardi matin, quittai l'hôpital samedi matin, et me rendis immédiatement au salon de beauté pour me faire coiffer. Après tout, j'étais invitée dimanche à un dîner d'anniversaire. Je commençai les traitements de chimio deux semaines après mon opération et je ne manquai aucune journée d'école pendant cette période. Ce n'était pas facile. Je perdis tous mes cheveux. Je vomissais et je me sentais malade. Cela m'arrivait souvent de m'apitoyer sur mon sort et de me dire : « Je n'en peux plus. Je ne peux plus continuer ces traitements de chimio. » Je me souviens d'avoir pleuré un jour au téléphone avec ma mère : « Qu'est-ce qui arriverait si, après tous ces traitements, ça recommençait? »

Ma mère me répondit : « Tes enfants ont besoin de toi. Tu feras tout ce que tu as à faire pour rester avec eux. » Et elle avait raison. Non seulement mes enfants avaient besoin de moi, mais moi aussi j'avais besoin d'eux. Ils me donnèrent la force nécessaire pour continuer de me battre. J'avais une très bonne vie, et je n'étais pas encore prête à m'avouer vaincue. Je veux voir mes enfants aller à l'université, se marier et fonder une famille. Je veux vieillir avec mon mari. J'aime ma vie et j'ai l'intention de rester en vie encore très longtemps, de profiter de chaque journée du mieux que je le peux.

Eileen Brown O'Riley

« *Je dois admettre que j'aime beaucoup votre atti-tude, M. Feldmond !* »

Reproduit avec la permission de Dave Carpenter.

La poche pleine de 25 ¢

Searra, une petite patiente atteinte d'une tumeur cérébrale, âgée seulement de huit ans, était une habituée du service de radiation et d'oncologie, tout comme les autres patients qui venaient tous les jours au centre anti-cancéreux, pendant une période de cinq à six semaines. Mon bureau était situé près de l'entrée principale et je pouvais donc entendre Searra, aussi appelée C.C., arriver de loin.

Immanquablement, elle passait sa tête dans le cadre de la porte, tous les matins autour de 10 h, pour me dire bonjour, mais surtout pour voir les jouets et les livres à colorier que je cachais dans mon bureau. Plusieurs pas derrière, on voyait arriver la grand-mère de C.C., aussi appelée Mommie — puisqu'elle était sa tutrice — qui essayait de suivre le pas pressé de la petite fille.

C.C. n'était pas du tout intéressée à être informée davantage sur son cancer ou sur la perte de ses cheveux. Quand elle arrivait dans le service, c'était pour bavarder avec les membres du personnel, qui devenaient immédiatement ses amis, et pour voir quel chef-d'œuvre elle pouvait colorier pour Mommie, avant que l'on ne la rappelle pour son traitement.

J'étais décontenancée par l'amour que C.C. avait pour sa Mommie. Chaque fois que je lui posais des questions sur sa vie à la maison, son travail à l'école, ou sur comment elle se sentait, toutes ses réponses faisaient référence au temps qu'elle passait avec Mommie, aux histoires drôles qu'elles se racontaient et à son amour pour elle. À plusieurs reprises, C.C. me fit clairement comprendre que Mommie était en fait le centre de son monde.

Lors du premier traitement de radiothérapie qu'elle eut à subir, les médecins promirent à C.C. qu'ils lui donneraient une pièce de 25 ¢ si elle promettait de ne pas bouger la tête pendant le traitement. Évidemment, après six semaines de thérapie, elle avait les poches pleines de 25 ¢!

Le dernier jour, les thérapeutes lui demandèrent quel gros jouet elle avait l'intention de s'acheter avec tout son argent. C.C. répondit : « Oh! Mais je ne vais pas acheter de jouet. Je vais acheter quelque chose pour Mommie, à cause de toutes les gentilles choses qu'elle fait pour moi. »

La sincérité de C.C., son désintéressement, son affection et la fidélité qu'elle vouait à Mommie m'enseignèrent ce qui compte vraiment dans la vie. Elle nous montra qu'aimer avec un réel dévouement est certainement le plus beau cadeau que nous puissions offrir à quelqu'un — qu'il s'agisse d'un membre de notre famille ou d'un ami.

C.C. aurait certainement eu de nombreuses raisons de se plaindre, ou d'en vouloir au monde pour son enfance complètement différente de celle des autres enfants de sa classe de troisième année. Je ne l'ai jamais entendue se plaindre de sa tête chauve, de son visage et de son corps enflés (à cause des stéroïdes), de son manque d'énergie qui l'empêche de jouer dehors. C.C. continue de vivre sa vie comme elle l'entend, ce qui inclut de donner d'elle-même pour faire de ce monde un endroit plus agréable pour les autres, spécialement pour Mommie.

C.C. me rappelle de ne pas tenir pour acquises les personnes que j'aime, et de regarder au-delà de la superficialité que l'on trouve souvent dans notre vie de tous les jours. Je dois me souvenir d'être plus reconnaissante pour ce que j'ai aujourd'hui, de ne pas m'attarder à ce qui est derrière moi ou à ce qui m'attend.

C.C., comme beaucoup d'autres cancéreux, nous montre que nous n'avons pas toujours les bonnes cartes en main. C'est pourquoi nous devons essayer de tirer le meilleur de ce que nous possédons aujourd'hui.

Anne C. Washburn

Manuel Garcia

Manuel Garcia, un jeune père fier de l'être,
Était bon travailleur selon tous les dires;
Tout allait comme prévu dans ses projets de vie :
Une femme, des enfants, un emploi, de l'avenir.

Un jour, Manuel, pris de maux d'estomac,
Alla consulter pour en savoir la cause.
Son corps renfermait des tissus cancéreux
Et ne suivait plus du tout l'ordre des choses.

Manuel partit donc de son coin de pays
Pour aller à la ville au centre hospitalier,
Voyant soudainement ses quelque trente-neuf années
Comme des grains de sable coulant dans un sablier.

« Que puis-je faire? » demanda Manuel en pleurant.
« De deux choses l'une » lui répondit son médecin.
« Votre cancer sans traitement vous sera fatal,
Mais le traitement, pénible, n'offre aucune garantie... »

Ainsi commença l'odyssée de Manuel,
Les longues nuits d'insomnie et d'hébétement forcé,
Dans les tristes couloirs, l'écho de bruits de pas
Marquait tous les instants qui lui étaient comptés.

Conscient que quelque chose dans son corps le grugeait,
Manuel, désespéré, était malheureux.
Son cancer déjà lui avait pris vingt kilos
Et voilà qu'au traitement il perdait ses cheveux.

Neuf semaines de traitement et le médecin revint :
« Manuel, nos moyens d'action tirent à leur fin,
Votre cancer maintenant prendra une voie ou l'autre;
Nous ne pouvons plus rien, il est entre vos mains. »

Dans le miroir, il se vit, étranger si triste,
Si pâle, si ridé, si seul, si apeuré,
Malade, isolé et se sentant repoussant :
Seulement soixante kilos, ses cheveux tous tombés.

Il rêva de sa Carmen à soixante ans sans lui,
De ses quatre jeunes enfants tous orphelins de père,
Des jeudis soirs passés à jouer aux cartes chez Julio,
Et de tout ce qu'il voulait dans sa vie encore faire.

Tiré de son sommeil le matin de son congé
Par des pas se traînant tout autour de son lit,
Manuel ouvrit les yeux et crut rêver encore :
Son épouse et quatre amis aussi chauves que lui.

Il cligna des yeux, car il n'en revenait pas,
Cinq têtes sans cheveux alignées à son chevet.
Jusque-là personne n'avait encore dit un mot,
Mais bientôt ils rirent tellement fort qu'ils en pleurèrent.

Les couloirs maintenant résonnaient de leurs voix.
« *Patron*, nous avons fait cela juste pour toi. »
Ils l'emmenèrent tout doucement jusqu'à la voiture,
« *Amigo, estamos contigo ves...* »

Manuel arriva enfin dans son quartier;
Devant son petit logement, on gara la voiture.
La rue lui sembla bien tranquille pour un dimanche,
Il respira à fond, ajustant son chapeau.

Avant même qu'il la pousse, la porte s'ouvrit toute grande.
Manuel reconnut les visages familiers :
Une cinquantaine de parents et de bons amis
Le crâne rasé de près et chantant « Nous t'aimons! »

Alors Manuel Garcia, cet homme cancéreux,
Ce père, cet époux, ce voisin, ce bon ami,
La gorge nouée dit : « Je ne ferai pas de discours,
Mais laissez-moi quand même vous dire tout ce qui suit. »

« Cancéreux et chauve, je me suis senti si seul.
Mais vous voilà tous auprès de moi, Dieu merci.
Qu'Il vous bénisse de m'apporter votre soutien,
Qu'Il nous aide à garder l'amour longtemps en vie. »

« Que Dieu vous bénisse de m'apporter votre soutien,
Que Dieu nous aide à garder l'amour longtemps en vie. »

David Roth

Note : Traduit par Annie Desbiens et Miville Boudreault.

Les cheveux

Dans notre famille, nous avons tous des cheveux différents. Les cheveux de papa sont courts. Il n'en a pas beaucoup, mais ça lui va bien. Moi, mes cheveux sont longs et raides. Impossible de les faire boucler. Ils descendent un peu en bas de mes épaules. Les cheveux de Jeff sont super. Ils sont épais et doux. Ils ont du volume et on peut les coiffer comme on veut. Ils sont très différents des cheveux de mon père, mais il y eut un temps où mon père avait les mêmes cheveux.

Mais les cheveux de ma mère, oui, ceux de ma mère, ce ne sont pas vraiment des cheveux. Elle a le cancer, alors elle les a tous perdus. Ils sont en train de repousser, et ils sont si doux. On dirait de la fourrure. Ils sont duveteux. Ils sont si doux au toucher et sur le visage, quand elle vous tient dans ses bras et que vous vous sentez en sécurité; ils ont la douce odeur d'un bébé; ils sentent le réconfort quand vous vous blottissez contre elle et qu'elle vous chatouille le dos pour vous dire qu'elle vous aime. Tous vos soucis et tous vos problèmes disparaissent quand elle vous tient dans ses bras. Quand je passe ma main sur sa tête, c'est comme si je frottais une lampe magique.

Je lui souhaite d'être heureuse et en bonne santé, et que tous ses beaux cheveux repoussent pour protéger sa tête et la garder au chaud, tout comme elle me protège et me garde au chaud. Ça, ce sont les cheveux de maman, ils sont comme les cheveux d'un bébé. Doux et chauds comme son cœur.

Jaime Rosenthal

Chère Maman

Chère Maman,

Je t'aime, et j'aimerais que tu puisses rester avec moi, mais tu dois te faire soigner. C'est bien que tu sois venue pour tes amis. Je continuerai à t'appeler tous les soirs avant de me coucher. Tu es la meilleure Maman qu'un enfant puisse avoir, et je t'aime tellement. Mademoiselle Grant te dit bonjour aussi, et aussi Mademoiselle Zagger et Monsieur Halleday, tout le monde te dit bonjour. Tu vas prendre des médicaments et tu vas guérir et tu vas revenir à la maison, et tu vas voir tes amis.

Ton ami
Alexi

Sous la protection
de saint Christophe

Chère Jacqueline,

Quand tu liras cette lettre, ce sera la fête des Pères. Je veux te raconter une merveilleuse histoire sur ton père. C'est quelqu'un d'assez réservé, et j'ai bien peur qu'il ne te raconte jamais cette histoire lui-même. C'est une histoire que tu devrais connaître et que tu raconteras peut-être à tes enfants.

Ton père et moi avons été des amis pendant de nombreuses années. Lors d'une chaude journée du mois d'août 1992, à Boise, dans l'Idaho, nous nous sommes rencontrés pour déjeuner. Tu vois, j'avais le cancer et je partais pour aller me faire opérer pour une greffe de la moelle osseuse, à l'hôpital de l'Université de Stanford. J'étais très optimiste, mais une greffe de la moelle osseuse est une opération très délicate. Il se pouvait que je ne revoie plus ton père et je voulais lui dire au revoir. Je n'avais que 39 ans quand on m'annonça que je souffrais d'un lymphome non hodgkinien, un cancer assez rare pour une personne aussi jeune. Pire encore, la seule option prévue pour ce genre de cancer — à l'époque de mon premier diagnostic — était de suivre des traitements de chimiothérapie pour le restant de mes jours, ce qui aurait tout au plus duré encore dix ans.

Les médecins de Stanford évaluèrent que j'étais une candidate potentielle pour une greffe de la moelle osseuse. Il s'agissait d'une cure possible, mais mon cancer ne rentrait pas dans le régime d'un traitement standard. Après des heures d'examens pénibles, de discussions difficiles et le refus de ma compagnie d'assurance de me couvrir, j'étais encore décidée à avoir cette greffe! De tout mon cœur et de toute mon âme, j'ai essayé de convaincre les médecins de Stanford que j'étais une patiente exceptionnelle. Ils finirent par accepter, mais ils allaient devoir élaborer un nouveau protocole, spécialement pour moi. Oui, j'allais l'avoir cette greffe de la moelle osseuse!

Ton père fut assez bouleversé en me voyant arriver pour le dîner. Une brunette aux cheveux bouclés naturellement arrivait ce jour-là avec des cheveux blonds coupés au carré. Je portais une perruque pour couvrir les cheveux que j'avais perdus après sept mois de chimiothérapie. Au lieu d'essayer de trouver une perruque qui ressemblait à mes cheveux naturels, j'avais opté pour la coupe au carré dont j'avais toujours rêvé quand j'étais à l'école secondaire. Faire face au cancer m'a appris à prendre des risques et à essayer de nouvelles choses. J'ai appris que la vie était courte et que je devais réaliser mes rêves. « Plus tard » serait peut-être trop tard.

Pendant le repas, nous rîmes en parlant du passé, et nous parlâmes de mon présent terrifiant et de mon avenir inconnu. Comme tu peux l'imaginer, ce que je redoutais le plus, c'était de dire au revoir. Alors que nous étions debout sur le trottoir devant ma voiture, ton père sortit une enveloppe de sa poche et me la donna. Aussitôt, les mots « médaille de saint Christophe » me vinrent à l'esprit, mais je ne savais pas pourquoi, car ni lui ni moi n'étions catholiques. Il me dit :

« Ceci est pour toi, mais ne l'ouvre pas avant d'être assise dans l'avion, en route pour la Californie. » Il m'embrassa sur la joue et partit.

Deux jours plus tard, peu de temps après que l'avion eut décollé, j'ouvris l'enveloppe. Il s'agissait en effet d'une médaille de saint Christophe — mais elle était très spéciale : d'un côté de la médaille, il y avait l'emblème de l'armée américaine, et de l'autre, saint Christophe. Ton père avait ajouté un petit mot :

Chère Cindy,

Bien que je ne sois pas très enclin à m'ouvrir et à exprimer mes sentiments, je veux que tu saches que tu es une amie très spéciale. Ma mère m'a donné cette médaille de saint Christophe quand je suis parti pour le Vietnam. Elle m'avait assuré qu'elle me protégerait, et elle l'a fait. Un jour, j'aimerais la donner à ma fille, Jacqueline, mais pour le moment, elle te sera plus utile à toi. S'il te plaît, prends-la. Je peux t'assurer qu'elle te protégera. Sois confiante que tout ce à travers quoi tu vas passer en vaudra la peine, à long terme.

Bonne chance,
Jim

Je pleurai. J'avais peur, très peur, tout comme ton père a dû avoir peur quand il est parti pour la guerre. Mais maintenant, j'avais une autre raison de croire que je pouvais survivre. À partir de ce moment-là, j'ai porté la médaille de saint Christophe.

L'opération fut difficile. Je souffris de graves effets secondaires. La radiation que j'ai eue à endurer fut comparable au fait de se trouver à deux kilomètres d'une explosion nucléaire; un dangereux champignon s'attardait sur mes poumons. Des brûlures au second degré aux mains et aux pieds résultèrent des traitements de chimiothérapie à haute dose. Mon corps était tellement ravagé que tu ne m'aurais pas reconnue : je ressemblais à un monstre.

Les premiers signes d'une opération réussie furent anéantis le lendemain de mon départ de l'hôpital. La greffe de la moelle osseuse avait échoué. Toutes les raisons qui expliquaient l'échec de l'opération me placèrent dans une catégorie à part — ce qui m'était arrivé n'arrive qu'à un pour cent des patients qui subissent une greffe de la moelle osseuse. Il n'y avait aucune autre option que d'essayer de sauver les cellules souches : une opération risquée qui avait des chances de réinfuser mes propres cellules cancéreuses. Je regardai la mort droit dans les yeux, pendant les semaines qui précédèrent la deuxième prise de greffe. Je suis restée à l'hôpital 54 jours. J'avais quitté Boise le 14 août 1992 et rentrai chez moi trois mois après, le 5 décembre. En février, du sang coagulé — un résidu de ma greffe — traversa mon cœur, mais ne me causa aucun dommage. J'ai vécu des miracles. J'étais chanceuse d'être vivante.

Alors que je t'écris cette lettre, cela fait maintenant quatre ans que je n'ai plus le cancer. Ton père avait raison : saint Christophe m'a protégée.

Je me rappelle maintenant que ton père a été témoin de nombreux combats, en tant que chef de peloton et premier lieutenant dans l'infanterie. Bien qu'il n'ait jamais été considéré comme un héros, il fut décoré d'une étoile de bronze pour sa bravoure et d'un Purple Heart, décoration attribuée aux blessés de guerre — il avait été blessé en plein combat le jour où deux de ses meilleurs amis ont été tués.

Ton père a porté cette médaille avec foi, Jacqueline — et moi aussi. Quand un jour elle t'appartiendra, j'espère que toi et tes enfants vous souviendrez de son histoire, et des histoires de courage et d'amitié qu'elle a à raconter.

Avec tout mon amour,
Cindy

Cynthia Bonney Mannering

L'amour soigne les gens

Au début, nous nous imaginions que nous don-
nions aux autres; à la fin, nous réalisâmes qu'ils
nous avaient enrichis.

Jean-Paul II

Au mois d'août 1992, un couple très spécial donna
naissance à une belle petite fille. Paige passa les six premiers mois de sa vie à pleurer, à cause de coliques. Ses
parents la surnommaient affectueusement leur « bébé de
l'enfer ».

C'était une enfant magnifique, avec de grands yeux
bruns. Vous ne pouviez pas vous empêcher de tomber en
amour avec elle. Le jour de son premier anniversaire,
Paige grimpa sur mes genoux et je lui donnai mon cœur
pour toujours.

En mars 1995, je reçus un appel désespéré de la
maman de Paige, qui me disait que Paige avait été diagnostiquée avec un cancer, et qu'ils étaient en route vers
l'hôpital pour enfants de Los Angeles.

Les jours passaient et les nouvelles devenaient de
moins en moins bonnes. J'appelai toutes les personnes
que je connaissais pour leur dire de commencer une
chaîne de prières.

Paige lutta contre ce monstre, tout d'abord avec des
traitements de chimiothérapie, puis de la radiothérapie,
et enfin avec une greffe de la moelle osseuse, qui eut lieu
au début du mois d'octobre 1995.

Tout le temps que dura cette épreuve, cette enfant
incroyable de trois ans était plus joyeuse et douce que

jamais. Elle gagna les cœurs de tous les médecins et de toutes les infirmières. La maman de Paige ne la quitta jamais, car elle était certaine que si elle donnait assez d'amour à sa fille, celle-ci guérirait.

Le 31 octobre 1995, le jour de l'Halloween, notre Paige rentra à la maison pour de bon. Le miracle pour lequel nous avions tant prié s'était réalisé. Les médecins étaient surpris de sa réponse rapide aux traitements, mais ils l'étaient encore plus de son attitude positive.

Ils n'étaient pas les seuls à être surpris. J'avais amassé des cadeaux pour Paige au cours des mois où elle était hospitalisée, en attendant le jour où je pourrais la voir ouvrir le sac plein de surprises.

Mais, quand elle ouvrit le sac à surprises magique, Paige découvrit qu'elle possédait déjà plusieurs des jouets qu'il contenait. Je proposai donc à sa mère qu'elle rapporte les jouets au magasin et qu'elle les remplace par des jouets qu'elle n'avait pas encore.

J'entendis la douce petite voix de Paige demander à sa Maman si elles pouvaient déposer ces jouets dans les paniers de Noël qui se trouvaient devant un des magasins du quartier, pour que d'autres enfants puissent en profiter. La fierté qui se lut sur le visage de sa mère en disait long.

À ce moment-là, je réalisai la puissance de l'amour. L'amour guérit les gens; il guérit à la fois celui qui donne et celui qui reçoit.

Janine Crawford

Notre héros Brian

Dites-moi ce que peut ressentir un élève du collégial de dix-huit ans à qui on annonce qu'il a deux tumeurs cérébrales pinéales inopérables? *Est-ce que je vais mourir? Pourquoi moi? Pourquoi maintenant?* Voici seulement quelques-unes des questions qui traversèrent l'esprit de Brian.

Pendant deux mois, nous ne savions pas ce qui se passait avec notre fils; il perdait du poids, il ne mangeait plus, il n'était plus du tout lui-même. Il dépérissait devant nos yeux, passant d'un poids de 64 kilos à 55 kilos en un mois, pour aucune raison apparente.

Lorsqu'il se plaignit de vision double, nous l'avons emmené passer une IRM du cerveau; c'est là qu'on découvrit les tumeurs. Nous étions tous bouleversés, mais cela nous donnait les causes de ces symptômes anorexiques.

Après le premier choc, Brian eut des hauts et des bas pendant quelques jours, alors qu'il tentait d'accepter et de comprendre ce qui se passait vraiment, ainsi que les traitements qui l'attendaient.

Les traitements de radiothérapie débutèrent juste après Noël. Brian nous étonna tous par son attitude positive. Bien qu'étant un peu fatigué, il continua d'aller à l'école tous les jours. Ses camarades de classe et professeurs furent très surpris.

Quand les traitements prirent fin, il commença à s'entraîner avec l'équipe de basket. Il fut capable de jouer quelques minutes dans quelques jeux, juste avant la fin de la saison; ce furent des moments mémorables. Le simple fait de le voir sur le terrain provoquait des larmes et des cris de joie chez toutes les personnes dans les gradins

qui savaient ce par quoi il était passé. Grâce à un entraîneur très compréhensif (dont la femme souffrait d'un cancer du sein), il put rester dans l'équipe pendant toute la
saison. Au banquet de fin de saison, il reçut le Prix des
entraîneurs, car il fut une source d'inspiration pour ses
coéquipiers, que ce soit pendant les entraînements ou
pendant les matchs. Les moments difficiles étaient vraiment pénibles, mais il n'abandonna jamais. Il donnait
110 pour cent de son temps et de son énergie.

Puis, les traitements de chimiothérapie commencèrent, tout d'abord pour une durée de cinq jours consécu-
tifs, puis le 9 et le 16 de chaque mois, pendant quatre
mois. La perte de ses cheveux, la fatigue, le manque
d'appétit et la constipation furent quelques-unes des
complications « mineures » dont il souffra. Il y fit face
sans se décourager et essaya de vivre avec de son mieux.

Pendant cette même période, un vieil ami de la
famille fut diagnostiqué avec un cancer du poumon.
Grâce à son attitude optimiste, Brian fut en mesure de
parler à cet ami, lui prodiguant des encouragements dans
les moments difficiles. À notre plus grande surprise, il ne
prit aucun retard dans ses études, grâce à l'aide de professeurs compréhensifs, de ses amis et du psychologue de
l'école. Bien qu'il ait manqué quelques événements
importants de sa vie d'étudiant, il termina ses études en
même temps que tous les autres élèves de sa classe, avec
mention! Il fut très surpris d'être nommé « l'athlète mas-
culin le plus stimulant de l'année ».

Les vacances estivales apportèrent un changement
bénéfique pour Brian et pour sa famille. C'était le
moment de se détendre, de s'amuser et de se sentir bien.
Nous passâmes un mois à Hawaï, pour nous reposer et
pour voir nos amis et parents. Maintenant, Brian est

impatient de commencer ses études universitaires à l'automne!

Notre famille est passée à travers beaucoup d'épreuves ensemble, mais Brian nous a montré qu'avec de la persévérance, peu importe la gravité de l'épreuve que nous avons à vivre, elle peut être surmontée. Son attitude optimiste et son sourire permanent, jour après jour, malgré la souffrance et la peur, nous ont tous rendus très fiers de lui. Je sais que cette expérience l'a beaucoup fait grandir et qu'il est maintenant prêt à affronter le monde.

Brian, nous te souhaitons bonheur et succès dans tout ce que tu entreprendras. Et sois certain d'une chose : Maman, Papa et ta sœur Amy seront toujours là pour toi. Nous t'aimons!

Norma Yamamoto

Amour et soutien

Le 1ᵉʳ octobre 1994, je rencontrai l'homme qui allait devenir la personne la plus importante de ma vie. Jeudi, le 20 octobre 1994, j'appris que j'étais atteinte d'un lymphome non hodgkinien.

Terry, mon mari, et moi nous sommes rencontrés grâce aux petites annonces de notre journal local. Nous nous sommes parlé au téléphone pendant une semaine avant notre rencontre. Nous ne pouvions pas nous rencontrer immédiatement, car je me sentais trop malade. Alors, le samedi 1ᵉʳ octobre, nous nous sommes donné rendez-vous dans un parc, situé non loin de chez moi, et nous nous sommes promenés en parlant pendant des heures. Nous devînmes immédiatement des amis.

Au cours des deux semaines suivantes, je rencontrai un spécialiste des oreilles, du nez et de la gorge, pour ce que les médecins croyaient être une infection des sinus. Le jeudi 13 octobre, je consultai un oncologue qui me fit hospitaliser immédiatement. J'étais terrifiée; je n'avais que trente ans, je n'avais que trois ans d'enseignement derrière moi, et je n'avais encore jamais été mariée. Je sentais que tout cela ne pouvait vraisemblablement pas m'arriver. J'étais trop jeune et toujours en santé. J'appelai mon nouvel ami et, à travers mes larmes, je lui dis que je resterais à l'hôpital encore quelques jours. Je suppliai Terry d'envisager de conserver notre amitié, mais j'aurais parfaitement compris s'il avait simplement arrêté de m'appeler. Terry me dit qu'il viendrait me voir à l'hôpital ce soir-là, mais j'avais des doutes là-dessus. Fidèle à sa parole, il vint me voir à l'hôpital à 19 heures, avec un koala en peluche.

Terry vint me voir à l'hôpital tous les soirs cette semaine-là. Le jeudi 20 octobre, je reçus mon diagnostic et appris que je ne retournerais pas à l'école avant quatre mois. Ce soir-là, je demandai à mon nouvel ami ce que j'allais bien pouvoir faire pendant ces quatre mois. Il me répondit : « Pourquoi ne pas préparer un mariage ? » Et voilà que débutait la plus terrifiante, douloureuse et excitante période de ma vie.

Pendant les traitements de chimiothérapie, qui me laissaient nauséeuse et faible, Terry s'asseyait avec moi pour discuter des préparatifs du mariage, en m'aidant à me concentrer sur un avenir heureux que nous espérions sans cancer.

Terry et moi nous mariâmes le 21 janvier 1995. Trois jours plus tard, j'entrai à l'hôpital pour des traitements de chimiothérapie à haute dose et une greffe de la moelle osseuse.

Pendant trois semaines (dont dix jours passés en isolement), Terry vint me voir à l'hôpital, et y dormait quand il le pouvait. Quand la douleur et la dépression s'emparaient de moi, je concentrais toute mon attention sur mon nouveau mari et sur toutes les différentes choses que nous allions faire ensemble. Je planifiai un dîner de famille qui aurait lieu un mois après ma sortie de l'hôpital, je pensai au menu et à tous les membres de ma famille qui seraient avec moi, et à quel point je me sentirais entourée de leur support et leur amour.

Chaque jour pendant mon hospitalisation, ma mère venait me tenir compagnie. Elle posait aux médecins des questions que j'étais incapable de leur poser moi-même, étant sous l'effet des médicaments, ou trop malade. Maman me parlait quand je me sentais suffisamment bien, et elle brodait quand je dormais. Pour une grande partie de chaque jour, soit ma mère, soit mon mari me tenait compagnie pour m'aider à traverser les moments les plus difficiles.

Cela fait maintenant six mois que je suis en rémission. Je dois ma guérison à un homme merveilleux qui a regardé au-delà de ces horribles cellules cancéreuses, et à une famille dont l'amour et le soutien m'ont permis de tenir le coup, même pendant les moments les plus durs.

Christine M. Creley

Je crois aux miracles

Si vous voulez être une personne réaliste, vous devez croire aux miracles.

David Ben-Gurion

« Chris va mourir. Je vais vendre sa voiture. » C'était le jour de Pâques 1989, mon ex-mari était au téléphone à parler de notre fils de 25 ans. J'étais plus que stupéfaite, mais j'étais aussi très en colère!

Je savais que Chris ne se sentait pas très bien — il appelait cela « un virus intestinal ». Comme cela ne faisait qu'empirer, il rentra à l'hôpital, où il reçut un pronostic loin d'être positif. Selon les mots du médecin, « la mauvaise nouvelle, c'est que votre fils a un lymphome — le cancer dont l'évolution est la plus rapide. La bonne nouvelle est qu'il s'agit d'un cancer qui répond bien à la chimiothérapie — une fois que nous aurons réussi à stabiliser son état, bien sûr. »

C'est exactement ce que la clinique de Cleveland tenta de faire pendant une période de six semaines, en gardant Chris aux soins intensifs, branché sur un appareil respiratoire. Son état se détériora à un point tel que le premier jour que j'allai lui rendre visite, je passai à côté de son lit sans même reconnaître mon propre fils!

Il ne devait pas mourir maintenant. Il avait encore tellement de choses à vivre. Je décidai de mettre à l'œuvre toutes les techniques de visualisation que j'avais apprises, de faire appel à tout le pouvoir de ma pensée positive, et de maintenir mon optimisme naturel. Je dis à mon ex-mari, qui recevait déjà des cartes de condoléances de la part de ses amis négatifs, que je croyais aux miracles. Chris allait s'en sortir. Il ne devait pas vendre la voiture de Chris.

Je ne sais pas si vous savez ce qu'est le service de soins intensifs dans un hôpital. En tous cas, ce n'est pas un endroit agréable à visiter. On y trouve toutes sortes de cloches et de sifflets. Les infirmières et les médecins sont toujours en train de courir pour répondre à telle ou telle urgence. Les patients sont enflés et leur visage est d'une pâleur de mort. Il y a de la négativité dans l'air. Un médecin m'a même dit : « Ne réalisez-vous donc pas à quel point votre fils est malade? Comment pouvez-vous continuer à être optimiste? » J'ai demandé qu'on lui retire le cas de mon fils.

Nous n'avions droit qu'à des visites de 15 minutes, deux fois par jour. J'y allais tous les matins. Et tous les matins, je prenais la main de Chris, et je lui disais de visualiser l'été, avec la chaleur, le soleil, les fleurs (tout ce qu'il aimait). Je remarquai que chaque fois que je lui rendais visite, une petite lumière s'allumait et on pouvait entendre un petit bip. Les infirmières me dirent que lorsque j'étais là, Chris respirait par lui-même, ce qui faisait réagir l'appareil respiratoire. Je savais que nous étions en train de progresser.

Chris guérit suffisamment pour rentrer à la maison pour l'été, en continuant ses traitements de chimiothérapie, et avec quelques petits séjours à la clinique. Ensemble, nous écoutions des cassettes, nous parlions de l'avenir et nous nous concentrions sur la beauté de chaque moment. Vers le mois de décembre, il était totalement rétabli. Tout le monde fut d'accord pour dire qu'il s'agissait d'un miracle.

En avril 1990, il décida de subir une greffe de la moelle osseuse par mesure préventive. Ce printemps, nous avons fêté le cinquième anniversaire de sa rémission. Oui, je crois aux miracles!

Chris King

Vous aurez besoin d'un chirurgien

« Vous aurez besoin d'un chirurgien. »

En entendant ces mots, je commençai un tour de montagnes russes qui allait durer quatre ans, me faisant plonger dans la peur et remonter vers l'espoir. Le diagnostic fut un cancer du côlon, avec un taux de mortalité de 55 pour cent. Mais je savais enfin pourquoi j'étais tellement épuisée, que même soulever une pièce de casse-tête nécessitait plus d'énergie que j'en avais.

Une des tâches les plus difficiles pour gagner cette bataille se présenta à moi dès le début. En état de choc, je quittai mon diagnostiqueur, rencontrai le chirurgien qu'il m'avait recommandé, acceptai d'être hospitalisée dans quatre jours et rentrai chez moi. Ça, c'était pour la partie facile. Le plus difficile fut de trouver comment annoncer la nouvelle à ma famille… et spécialement à mon mari, Norm, qui se trouvait à 5000 kilomètres de la maison, en voyage d'affaires, pour un contrat de trois mois. Même enfant, j'ai toujours été celle de la famille qui avait la meilleure santé. En plus, il ne restait que deux semaines avant Noël. Comment leur dire que non seulement je ne me sentais pas très bien (léger euphémisme), mais que j'allais très probablement mourir ?

En fait, je n'ai jamais trouvé les mots. Ma future psychologue de fille, Nicole, avoua finalement que j'avais l'air étrange ; puis se rappelant que j'étais allée consulter le médecin, elle devina qu'il m'avait donné de mauvaises nouvelles. Elle se chargea aussi de ce que j'étais absolument incapable de faire : le dire à son père.

Norm est du genre « numéro un » dans la catégorie des personnes très sûres d'elles-mêmes. Le temps que je rentre à l'hôpital, quatre jours après, il avait mis fin à son contrat, rassemblé toutes ses affaires pour revenir à la maison, tout arrangé pour que ma mère vienne rester avec moi, découvert trois autres traitements alternatifs et mobilisé des fidèles de deux églises qui priaient maintenant pour ma guérison...; pas si mal pour un travail d'une fin de semaine.

Pendant ce temps, mes enfants — presque des adultes — Noral, Kal et Nicole, s'efforçaient d'être courageux et dépensèrent de l'énergie supplémentaire à essayer de prétendre que nous étions en train de décorer notre sapin de Noël à deux étages (un exploit d'ingéniosité...), comme nous avions l'habitude de le faire chaque année. Aucun d'entre nous ne savait vraiment à quoi s'attendre, ou quoi faire exactement.

Mais après mon opération, mes enfants, leur père, nos amis de Jaycee Senator et environ 500 membres de notre association professionnelle, la National Speakers Association (NSA), ne tardèrent pas à le remarquer... je fonctionnais au ralenti.

Ma famille commença par débarquer à l'hôpital avec la plus grande partie de nos décorations de Noël, provenant de notre trop grande maison. En peu de temps, ils avaient décoré tous les murs disponibles, chaque traverse de lit et même le tuyau de mon cathéter.

J'avais choisi d'aller dans une salle commune afin d'avoir de la compagnie. Et j'en avais de la compagnie. Toutes les infirmières, tous les médecins, tous les bénévoles et toutes les personnes chargées du ménage, ainsi que plusieurs patients vinrent voir cette explosion de couleurs et de frivolités dans l'atmosphère très sérieuse de l'aile chirurgicale.

Le matin de Noël, il y eut une affluence continuelle à la fenêtre de ma chambre, quand mes fils Kal, mon créateur matinal, et Noral, toujours calme en temps de crise, bravèrent le froid à l'aube de ce mois de décembre à Ottawa, pour ériger dans la neige de la cour de l'hôpital une pancarte de 4 mètres de haut, sur laquelle la famille avait peint : « Joyeux Noël, maman ».

Mon opération avait eu lieu quelques jours auparavant, le 21 décembre, et les nouvelles étaient mitigées : la tumeur avait été excisée, mais elle était très grosse. Bien que je n'aie heureusement pas eu à suivre de traitements de chimiothérapie ou de radiation, mon chirurgien, Dr Doubek, me promit au plus deux ans à vivre.

La nouvelle se répandit très rapidement. La quantité et la profondeur de l'affection sincère qui se déversa de partout sur le continent fut pour moi une merveilleuse surprise. Vous voyez, une des choses les plus horribles concernant le cancer, c'est qu'il fait perdre énormément d'estime de soi. Je suis persuadée que si une personne atteinte du cancer ne regagne pas le sentiment qu'elle est importante, eh bien, elle mourra.

Lorsque je reçus toutes ces cartes et ces appels téléphoniques, ainsi que des messages me disant que plusieurs fidèles priaient pour moi, j'en étais arrivée à croire honnêtement que j'allais décevoir pas mal de monde si je mourais... spécialement Big E. Larry Moles de Lima, Ohio, qui effectua deux voyages jusqu'à la frontière pour faire passer aux douanes canadiennes un ours en peluche aussi grand que lui (maintenant connu sous le nom de Larr Bear). Nous réalisâmes plus tard que les douaniers pensaient qu'il utilisait l'ours en peluche pour essayer de faire passer de la drogue en contrebande. Les fonctionnaires se méfient même d'un simple geste d'amitié.

L'amitié est une chose qui fait partie de ma liste de « nécessités absolues », un élément de mon cheminement hors du cancer. La première étape fut de simplifier ma vie en déterminant ce qui était vraiment important pour me débarrasser de ce qui ne l'était pas. C'est incroyable comme la liste des « nécessités absolues » est courte! Essayez donc de faire votre propre liste un jour, quand vous vous sentirez dépassé par les événements; cela pourrait changer votre vie.

Il y a beaucoup de discussions sur le rôle de la pensée positive dans la guérison d'une maladie. Pour moi, il n'y a aucun doute. Ça marche!

Ça marche, oui, si vous y travaillez. La pensée positive pour vous permettre de guérir d'une maladie physique, ou des coups durs de la vie, va beaucoup plus loin que d'évoquer des pensées positives. Ma lutte contre le cancer dura quatre ans et nécessita plusieurs opérations... mais je suis maintenant, 10 ans après, officiellement une survivante du cancer. Maintenant, chaque fois que j'ai un coup dur, je puise dans les deux choses qui m'ont permis de tenir le coup pendant la crise : l'amour de ma famille et de mes amis, et un usage conséquent de mon esprit pour guérir mon corps — cellule par cellule — par la concentration et la visualisation.

Je continue de conditionner mon esprit pour rester en santé et pour garder le contrôle sur ma vie. Nous sommes tous capables de le faire pour nous-mêmes. Ainsi, comme mon mari le dit souvent : « Nul homme (c'est-à-dire personne) n'est une île. » Aussi essentiels à notre bonne santé et à notre bien-être sont les « Courrier du cœur »; la rédactrice m'écrivit qu'elle s'inquiétait de faire intrusion, mais qu'elle sentait devoir me dire qu'elle se souciait. Nous ne pouvons nous occuper que de nous-mêmes;

l'affection grandit quand elle est partagée avec les autres... et elle peut même sauver des vies.

Delva Seavy-Rebin

Sept jours sans rire nous affaiblit.

Joel Goodman

6

LE SOUTIEN

Le plus efficace des médicaments,
c'est aimer tendrement et se soucier.

Mère Teresa

« *Pete, tu as le cancer!* »

C'était l'automne 1992. Je revenais à mon bureau en voiture, après un important dîner au centre-ville de Vancouver, quand mon téléphone se mit à sonner. J'avais un téléphone dans ma voiture depuis un certain temps, mais j'étais encore étonné de pouvoir recevoir et faire des appels à partir de ma voiture!

C'était mon médecin : « Pete, je ne sais pas ce que tu es en train de faire maintenant, mais il faut absolument que tu viennes me voir à mon bureau immédiatement. »

« Qu'est-ce qui se passe? »

Tout ça sur un téléphone de voiture! Je me rangeai immédiatement sur le bord de l'autoroute et je me suis mis à pleurer. Les larmes coulaient; je pouvais voir tous les moments importants de ma vie se dérouler, comme sur un écran.

Le cancer! Les mots terrifiants que je venais d'entendre avaient déclenché toutes sortes de leviers et d'émotions qui, la plupart du temps, sont là inactifs.

J'allais mourir, c'était certain. Tout allait s'arrêter là. Un point, c'est tout. C'était la fin. Et avec cette proximité de la mort, mon système de valeurs, mes racines, les fondements de ma vie et même ma foi que j'avais toujours proclamée haut et fort allaient être mis à l'épreuve comme jamais auparavant.

Mais nous, les humains, sommes résistants. L'instinct de survie ne tarde pas à refaire surface. Sévèrement abattu, mais sentant déjà un regain d'énergie, je me demandais si je ne pourrais pas surmonter cette épreuve, en fin de compte. Mais serais-je capable d'être aussi positif que je dis aux autres de l'être dans les discours et les séminaires que je donne un peu partout dans le monde? Serais-je capable de prendre ma vie en main tout comme j'encourage les autres à le faire?

Lorsque je rappelai mon médecin, il me dit d'aller chercher ma femme et de venir le voir à son bureau. Kay était rentrée de l'université et nous sommes partis tous les deux, main dans la main, pour aller voir le médecin.

« Rien qu'une petite opération », dit-il de sa meilleure voix de pilote de ligne. « De six à huit points de suture et d'environ vingt minutes. Nous allons prendre une petite partie de votre derrière pour reconstituer votre visage. » Très intéressant, mon postérieur se sentit soudainement exposé!

Ils m'emmenèrent à l'hôpital, m'allongèrent sur la table d'opération et me couvrirent le visage. Ce n'était pas aussi simple. Ils eurent besoin de dix-huit aiguilles juste pour geler la partie de mon visage qui devait être reconstituée. Je n'avais aucune idée de ce qui se passait, sauf que, jusque-là, rien n'était encore arrivé à mon derrière. Il était évident que les plans avaient été modifiés. Le cancer allait être enlevé d'une autre manière.

Une heure et demie et 125 points de suture plus tard, avec une immense cicatrice en forme de cœur, enflée et encore saignante sur le visage, je demandai à Éric, le chirurgien plasticien qui avait effectué ce travail impeccable : « Alors, qu'avez-vous fait? »

« Il s'agit d'une toute nouvelle procédure que j'ai apprise il y a environ deux semaines, à Paris. J'ai pensé l'essayer sur vous », me répondit-il.

« Je vous remercie vraiment du fond du cœur », rétorquai-je.

Éric m'assura que, malgré le sang, la cicatrice guérirait. Dans quelques mois, je serais le plus heureux des hommes et, dans à peu près un an, la cicatrice aurait disparue. L'opération « rabat en V » aurait de bien meilleurs résultats à long terme que d'utiliser la peau de mon postérieur qui, à cause de sa pigmentation spéciale, resterait « blanc derrière » à jamais.

Il semblait que je remportais le premier round avec succès, mais une épreuve beaucoup plus grande m'attendait. L'équipe médicale n'était pas certaine à cent pour cent d'avoir complètement enlevé la tumeur. Il fallait que je me rende à la Cancer Clinic de Vancouver pour me faire examiner par une équipe de dix médecins, une conférence pour déterminer si oui ou non une deuxième opération était nécessaire. Le simple fait d'y penser me terrifiait.

Je veux vous dire tout de suite que, mis à part une lutte pas vraiment très enthousiaste contre la graisse superflue, j'ai toujours été en bonne santé. Je ne suis jamais allé à l'hôpital, sauf pour rendre visite à quelqu'un, et je n'ai jamais été opéré ni anesthésié. Je conclus rapidement qu'une autre opération me ferait connaître toutes ces choses en même temps. Je ne serai peut-être jamais plus la même personne. Pire encore, j'allais certainement mourir. Encore une fois, je me voyais déjà à la morgue !

Une petite minute, Pete ! Qu'est-ce que tu fais de la compétence des médecins ? De la technologie ? Nous avons tous des talents, n'est-ce pas ? Se pourrait-il que ce qu'ils ont en réserve pour toi ait déjà réussi plus d'une centaine de fois sur d'autres ? La lutte chirurgicale contre toutes sortes de cancers a connu des avancées incroyables. Où sont donc ta foi et ton attitude positive ? Et que dire de l'amour que te prodiguent ta famille et tes amis ?

Les médecins décidèrent qu'une deuxième opération allait finalement être nécessaire et ils fixèrent une date pour une intervention d'une durée de sept heures, à l'hôpital général de Vancouver.

Charlie Trimbell, le président de Oppenheimer Bros. — un des premiers courtiers en alimentation de l'Ouest canadien — et aussi un de mes bons amis, me dit : « Pete, tu as de bonnes aptitudes en relations humaines. Quand tu rentreras à l'hôpital, passe à la vitesse supérieure. Utilise tes talents pour t'attirer la sympathie de tous ceux qui entreront dans ta chambre. Quel que soit leur travail, demande-leur comment ils s'appellent, et informe-toi sur leur travail. Ce ne sera que le début d'une compréhension beaucoup plus grande à un moment crucial de ta vie. Ainsi, les médecins, les infirmières et les préposés aux soins feront preuve de beaucoup plus de gentillesse envers toi, parce que tu leur auras donné quelque chose de toi-même. » Je lui promis que j'allais faire de mon mieux.

J'emportai avec moi deux caisses de mon premier livre, *How to Soar with the Eagles* (Comment voler avec les aigles), et je les distribuais chaque fois que j'en avais l'occasion. Quiconque entrait dans ma chambre recevait un exemplaire dédicacé de mon livre. Étais-je en train de protéger mes arrières ci-dessus mentionnés? On ne sait jamais, n'est-ce pas?

En plus de tous ces cadeaux « littéraires », je faisais l'effort de parler avec tous ceux qui faisaient partie de mon univers hospitalier immédiat et tous ceux qui avaient un rôle à jouer dans l'intervention chirurgicale du lendemain.

Je portais une attention particulière à l'anesthésiste, Len, qui était originaire d'Angleterre; un homme chaleureux, amical, sensible et compétent. Quand il vint me voir, la veille de l'opération, je le questionnai plus que tous les médecins et toutes les infirmières réunies. Je lui

dis que le lendemain, avant qu'il ne m'endorme, je dési-
rais rassembler toutes les infirmières et tous les médecins autour de mon lit pour leur offrir une petite
conférence de motivation à la Legge. Une petite assurance de dernière minute.

« Vraiment ? Et qu'est-ce que vous allez dire ? » me
demanda-t-il.

« Qu'est-ce que je vais dire ? Eh bien, je vais dire ceci :
Vous, infirmières et médecins, procédez à ce genre
d'intervention presque tous les jours de la semaine. On
dit que vous êtes les meilleurs de tout l'Ouest du Canada.
Vous pensez probablement qu'il s'agit seulement d'une
autre dissection d'un corps parmi d'autres, mais j'aimerais vous dire que, pour moi, c'est la première et la seule
fois que je me fais opérer. Aujourd'hui, vous vous acquit-
terez de votre mission mieux que jamais auparavant. Vos
compétences seront à leur meilleur. Il n'y aura aucun
effet secondaire, ou d'autres choses de la sorte. Pas
d'erreur. Juste une opération sans complications, bien
faite, réussie à cent pour cent, la meilleure de votre vie. »
J'employais tous les termes stimulants du livre, les miens
et tous ceux des autres !

« Super, j'ai hâte d'entendre cela », dit Len.

Le lendemain, mon infirmière me réveilla à cinq heures du matin et, bien sûr, elle me donna des pilules pour
dormir. Puis hop ! Sur la civière et en route pour la salle
d'opération. Là, il y avait toutes sortes de personnes qui
se pressaient autour de moi, vérifiant les équipements et
faisant tout ce que ces créatures vêtues de vert ont l'habitude de faire. Aiguiser des couteaux ? Récupérer de leur
dernière nuit blanche ?

Je regardai l'horloge encore une fois. Il était 8 h 10 du
matin. C'est l'heure de ma conférence. « O.K. », dit Len.
« Juste un petit réglage avant que vous ne commen-

ciez... », et alors qu'il parlait, le néant se referma autour de moi.

Je regardai l'heure encore une fois. Il était 8 h 15, cinq minutes plus tard. Mais non, il était douze heures et cinq minutes plus tard! Je n'étais plus entouré du crépuscule du matin. J'avais mal. Quant aux employés de ce grand hôpital urbain, ils continuaient à vaquer à leurs occupations dans la noirceur de cette soirée d'hiver. L'acte avait été accompli. Désormais, tout serait différent, mais j'étais encore bien en vie.

J'étais vivant, mais pas nécessairement le plus heureux des campeurs. Noël approchait, et je savais que pendant cette période de festivités traditionnelles, lorsque les familles se réunissent immanquablement, je me ferais remarquer en tant que « visage substantiellement cicatrisé », au sein des réunions familiales. Ma joue était couverte de pansements, mais je savais qu'en dessous de tout cela, il y avait un mari, un père, un homme à l'apparence différente qui ferait son apparition sur les podiums du monde entier. Différent extérieurement et surtout brisé intérieurement.

Mais étais-je encore capable de faire des conférences? Je testai ma voix; au moins, c'était plus beau qu'un croassement. Je me déplaçais dans la noirceur, accroché à des intraveineuses qui me suivaient partout et qui tiraient douloureusement sur ma peau. *Pourrais-je à nouveau jouer au golf?* J'en doutais.

Beaucoup de gens trouvent pénible d'aller rendre visite aux malades à l'hôpital, spécialement ceux qui en ressortent physiquement changés. Les visiteurs doivent s'armer de tout leur courage pour essayer de ne pas faire cas des odeurs ou des apparences. Ils doivent se dire :

« Je viens ici pour que cette personne se sente mieux, et peu importe ce que je verrai dans ce lit, je ne flancherai pas. »

Ma famille ne tarda pas à venir me voir, et Kay ainsi que mes trois filles flanchèrent toutes les trois. Il est vrai qu'elles se sont ressaisies très rapidement, mais elles ont quand même flanché. Je ne leur reprocherai jamais cela ; c'est simplement ce qui arrive quand vous êtes choqué par une image à laquelle vous ne vous attendiez pas. Je suppose que j'étais pas mal affreux à voir.

Ma fille aînée, Samantha, tenta le tout pour le tout — je lui en serai éternellement reconnaissant. Je ne me souviens pas de ses paroles exactes, peu importe, elle ne pouvait pas être plus juste.

« Papa, pendant des années, tu n'as fait que parler de personnes qui se retrouvent dans des situations comme celle-ci, de personnes brisées et abattues qui, pour une raison ou pour une autre, ont été blessées physiquement ou mentalement dans leur vie. Et toi, tu leur disais de vivre pour aujourd'hui et d'espérer pour demain… » Nous avions tous les deux les larmes aux yeux.

« C'est vrai », répondis-je.

« Maintenant, c'est à ton tour de montrer l'exemple. Maintenant, c'est à ton tour de rentrer à l'intérieur de toi pour aller puiser toutes ces choses que tu disais être importantes dans la vie — le courage, l'espoir, l'amour, la force de la famille. Nous serons toujours avec toi. Quoi qu'il arrive. »

Pete Legge

Des ados lancent une campagne pour sauver la vie d'un bébé mourant

En quittant sa maison pour se rendre à son travail d'enseignant à l'école secondaire Kamiakin, près de Seattle, le 26 février 1992, Jeff Leeland priait pour son fils, Michael. Les résultats des tests que le bébé de six mois avait passés devaient arriver dans la journée.

En janvier, Michael avait eu une pneumonie. Des tests avaient révélé que le taux de coagulation de son sang était très bas. On l'avait référé au Children's Hospital and Medical Center.

À 10 h, Jeff appela à la maison : « Bonjour, ma chérie. Qu'est-ce qui ne va pas avec Michael? » À travers ses sanglots, la femme de Jeff, Kristi, répéta le diagnostic : « Michael souffre du syndrome de myélodysplasie. Il s'agit d'une maladie préleucémique. » La voix de Kristi se brisa. « Il a besoin d'une greffe de la moelle osseuse. » Jeff sentit comme un coup de massue dans l'estomac.

Plus tard, Jeff et Kristi firent part de la nouvelle à leurs autres enfants : Jaclyn, neuf ans, Amy, six ans, et Kevin, trois ans. Les membres de la famille allaient devoir passer des analyses du sang dans l'espoir que l'un d'entre eux soit un donneur potentiel.

Le 20 mars, Kristi appela Jeff au bureau. Elle s'écria : « Amy est parfaitement compatible! » C'était la première lueur d'espoir jusqu'à présent.

De manière inattendue, toutefois, un nuage noir assombrit cet espoir. La police d'assurance de la famille Leeland prévoyait une période d'attente de douze mois pour les prestations, dans le cas d'une transplantation d'organes. Jeff avait signé pour cette couverture au mois d'octobre précédent.

Une greffe de la moelle osseuse coûtait 200 000 $US, une somme que la famille n'avait pas. En plus de tout cela, la transplantation devait être faite dans les plus brefs délais.

Alors qu'il était seul, un matin du mois de mai, Jeff mit à nue son âme blessée. C'était une prière adressée à Dieu, son unique espoir, qu'il écrivit dans son journal. Son petit garçon était en train de mourir. Dans le silence, il ressentit une paix profonde envahir son âme, tel un chuchotement. Dieu était maître de la situation.

Plusieurs jours plus tard, un des élèves de Jeff, Dameon Sharkey, âgé de treize ans, entra dans son bureau. Ayant des difficultés d'apprentissage et très peu d'amis; Dameon avait à faire face à son propre lot d'épreuves. L'adolescent fit don de toutes ses économies : douze billets de 5 $. Après avoir serré Dameon dans ses bras et l'avoir remercié, Jeff alla voir le directeur, et ils se mirent d'accord pour lancer le fonds Michael Leeland, grâce au cadeau de Dameon.

À partir de ce moment-là, les Leeland étaient témoins de la différence que peuvent faire les enfants. Dans les semaines qui suivirent, les élèves organisèrent un marche-o-thon, une tombola, et entrèrent en contact avec les médias. La classe de 3e secondaire fit don de l'argent qu'elle avait amassé lors de sa danse. Mary, une élève de 2e secondaire, fit don de 300 $, sous forme de bons d'épargne. Jon, un élève de 3e secondaire, fit du porte à porte dans son quartier. La famille Leeland était complètement émerveillée par ce déversement d'amour.

En réponse à l'appel lancé par les élèves, des articles furent publiés dans les journaux locaux. Après avoir lu un article sur Michael, un homme fit un don de 10 000 $, et une élève de 2ᵉ année du primaire fit don du contenu de sa tirelire. Une semaine après le don de Dameon, le fonds Michael Leeland s'élevait déjà à 16 000 $US.

Une femme mit sur pied des chaînes téléphoniques de prières et de soutien, d'un bout à l'autre de l'État. Un homme, chômeur et endetté de 35 000 $, envoya 10 $, simplement parce qu'il avait la chance d'être en bonne santé.

Quatre semaines après que le cadeau de Dameon ait ouvert la voie, le fonds totalisait plus de 200 000 $US. Michael allait avoir une deuxième chance.

Au mois de juillet, le petit garçon eut à subir douze jours de chimiothérapie et de radiothérapie afin de détruire sa moelle malade avant que les médecins ne lui transfusent les cellules saines de sa sœur. Le jour du premier anniversaire de Michael, sa famille reçut de merveilleuses nouvelles : le taux de globules blancs de Michael dépassait enfin le minimum acceptable! Une semaine plus tard, Michael put rentrer à la maison.

Aujourd'hui, trois ans plus tard, la maladie est en rémission. Les médecins affirment que les chances d'une guérison totale s'élèvent à 95 %.

Les Leeland prient pour que la compassion dont leur communauté a fait preuve ne s'envole pas, et qu'un jour Michael devienne aussi généreux que Dameon Sharkey, dont le cadeau a permis la création du fonds pour sauver la vie de Michael Leeland, et qui devint un maillon essentiel dans une chaîne d'amour.*

Jeff Leeland

---

* La famille Leeland a créé The Sparrow Foundation, une organisation sans but lucratif qui offre une mise de fonds initiale à des groupes de jeunes impliqués dans des activités de collectes de fonds.

Judy

Judy venait de commencer ses traitements de chimiothérapie quand elle assista à un de mes ateliers pour la première fois. Elle devait demander à des amis de la conduire à l'hôpital pour ses traitements, de la ramener chez elle, puis de rester avec elle après cela ; elle sentait qu'elle dérangeait. À cause de ces sentiments, mais aussi à cause de la souffrance que lui causaient les traitements de chimiothérapie, elle avait désespérément besoin d'amour et de soutien.

Plusieurs des personnes qui participaient à mes ateliers s'étaient déjà senties rejetées dans leur enfance et étaient maintenant impatientes de déverser leur amour sur des personnes qui, elles en étaient sûres, l'accepteraient. Il s'agissait d'un processus de guérison assez puissant. Les membres du groupe s'attachèrent rapidement les uns aux autres ; je décidai alors de conserver la dynamique du groupe en organisant des rencontres une fois par mois.

À l'atelier suivant, Judy nous parla, sans aucune gêne, de la perte de ses cheveux qui, disait-elle, tombaient par poignées. « Peut-être que je devrais me procurer une perruque mohawk et la teindre en mauve. Mieux vaut en rire », disait-elle. Son attitude courageuse était une inspiration pour nous tous. Elle haussa les épaules en disant : « Les gens résistent à bien des choses. Il se trouve que j'ai beaucoup de résistance dans ce domaine. »

En fin de compte, elle ne s'est jamais acheté de perruque mohawk, mais elle a commencé à porter des casquettes — une avait des paillettes ; une de ses préférées avait une hélice.

Un jour, elle m'appela juste comme je partais pour l'atelier du mois de décembre : « J'ai eu un traitement de chimio hier, et je me sens beaucoup trop nauséeuse pour pouvoir assister à votre atelier, ce soir », me dit-elle. Pendant l'atelier, nous lui enregistrâmes sur une cassette des messages de la part des membres du groupe. Quand elle l'apprit, elle se mit à pleurer.

Après avoir manqué les ateliers pendant une période de trois mois, Judy nous informa qu'elle allait de nouveau nous faire l'honneur de sa présence. Lorsqu'elle entra dans la pièce, nous nous précipitâmes pour l'embrasser. Nous ne dîmes mot de notre inquiétude face à son état émotionnel. Se moquer de ses cheveux qui tombent, c'est une chose, mais le vivre, c'est une autre chose. Nous nous demandions comment elle avait fait pour faire face à une telle tension.

Judy répondit à notre question quand elle s'assit et retira son foulard. Je ravalai mes larmes avant d'éclater de rire en lisant les mots qu'elle avait inscrits sur sa tête chauve : « Et vous pensez que vous avez des problèmes avec vos cheveux ! »

Nancy Richard-Guilford

La *Corporate Angel Network*

Appeler à l'aide par voie informatique, sur l'autoroute de l'information, prit un nouveau tournant cette année, lorsqu'un cancéreux envoya son appel de détresse sur un écran d'ordinateur et entra sur le site de la Corporate Angel Network (CAN), l'association sans but lucratif qui offre aux cancéreux des billets d'avion pour se rendre aux centres de traitements, d'un bout à l'autre du pays.

Jay Weinberg, le vice-président de la CAN, raconte qu'un patient anxieux, atteint d'un cancer, avait lancé sa demande sur le Web national, demandant où il pourrait bien trouver de l'assistance pour du transport. C'est un autre abonné d'Internet qui l'avait référé à la CAN.

Et grâce à cette simple inscription, voilà une personne de plus qui a joint les rangs de la CAN, grande famille qui compte aujourd'hui plus de 8 000 patients cancéreux qui ont été pris en stop à bord d'avions d'entreprises.

Weinberg et son amie, Pat Blum, créèrent la CAN, il y a quatorze ans. Ils sont tous les deux des survivants du cancer. Blum, survivante d'un cancer du sein, il y a 25 ans, et Weinberg, survivant d'un mélanome, il y a 20 ans. Par le hasard des choses, tous les deux demeuraient dans un rayon de 70 km du Memorial Sloan-Kettering Cancer Center à New York et n'eurent donc jamais à faire de longs trajets pour se rendre sur leur lieu de traitements.

Mais ceci ne les empêche pas aujourd'hui de comprendre tous les aspects de ce qu'ils appellent « le voyage psychologique et émotionnel » que les cancéreux ont à faire sur la route de la guérison.

C'est Blum qui eut l'idée de faire voyager les cancéreux sur des avions d'affaires, alors qu'elle était assise dans un avion qui attendait sur la piste du Westchester County Airport, à White Plains, New York, que plusieurs avions d'affaires décollent. Elle remarqua que plusieurs avaient de nombreux sièges vides.

Elle en parla à Weinberg. Ils finalisèrent leur projet et portèrent un toast au succès de leur entreprise avec une tasse de café. Cela s'est passé il y a 14 ans, et depuis, plus de 8 000 cancéreux ont voyagé sur 550 avions d'entreprises inscrites à la CAN. Douze de ces sociétés ont transporté plus de 100 patients chacune.

Cette année, AT&T a transporté son 100e passager : la petite Alexis Farrell, âgée de neuf ans, qui partait de sa maison à Washington pour se rendre à New York, où elle devait se faire soigner pour une déficience auto-immune.

Le plus jeune des passagers de la CAN, jusqu'à ce jour, fut un bébé de 15 jours, Faith Miller, qui voyagea de Pittsburgh à New York avec son frère et sa sœur, qui souffraient du même problème génétique.

Quant à la plus âgée des passagères de la CAN, elle se nommait Emma Hughes, elle avait 93 ans. Malgré son âge, elle conduisait de Phoenix jusqu'à l'aéroport de Scottsdale où elle prenait un vol de compagnie vers son centre de traitement à Denver.

Pour veiller au confort des passagers, autant d'efforts sont déployés sur terre que dans les airs. Les bureaux de la CAN, au Manchester County Airport, ont trois employés à temps plein, en plus de 60 bénévoles qui travaillent douze à la fois, cinq jours par semaine, à longueur d'année, pour s'assurer que les cancéreux puissent se rendre sur les lieux de leurs traitements.

Weinberg et Blum ont publié une brochure pour informer les patients éventuels du service qu'on leur offre.

La CAN, qui a commencé en travaillant manuelle-
ment avec des fiches de couleurs rangées dans une boîte
à souliers, dispose aujourd'hui d'un système informatique qui, grâce à l'aide de l'épouse de Weinberg, Marian,
s'est modernisé avec un nouveau programme et un logi-
ciel. Tous les clients cancéreux et les entreprises qui
offrent leurs avions ont été répertoriés. Cela permet à
l'organisation d'être au courant de toutes les données qui
lui sont nécessaires, les dates et les vols, et ainsi d'être
toujours prête.

The Corporate Angel Network

Escalader une montagne

Était-ce un ange? Était-ce le destin? Ou bien était-ce un coup de chance qui conduisit le petit David vers Bob et Doris? La façon dont tout cela est arrivé est beaucoup moins importante que de savoir pourquoi la vie de David devint si liée à celle de ce couple. À la fin, tous les trois ensemble, ils ont escaladé une montagne.

Mais bien avant l'arrivée de David, avant même que les deux enseignants ne se marient, avant que leur amour ne les rende de plus en plus forts, Bob apprit qu'il ne lui restait plus que six mois à vivre.

Six mois. C'est tout. C'est tout le temps que les médecins lui donnèrent à vivre, quand ils découvrirent qu'un cancer des os était en train de ronger son bras, une tumeur de la taille d'un pamplemousse dans son épaule gauche.

Toutefois, le surfeur passionné ne pouvait pas croire qu'il était destiné à mourir si jeune; ses élèves ne le croyaient pas non plus. Bob recevait près d'une centaine de lettres par semaine, d'élèves, d'enseignants et de parents, alors qu'il suivait des traitements de radiothérapie, qu'on l'examinait, qu'on lui faisait passer des rayons X et qu'on lui administrait d'énormes doses de chimiothérapie dans le but de neutraliser cette vilaine tumeur.

Malgré la douleur, les opérations, le corset plâtré qui lui recouvrait la moitié du corps, Bob promit à ses élèves qu'il serait là pour la remise des diplômes. Il opta pour les efforts expérimentaux de l'UCLA. Au lieu d'amputer son bras gauche, ils excisèrent la tumeur et introduisirent l'os d'un cadavre dans son épaule pour qu'elle tienne en place.

Ce n'était pas la première fois que Bob avait à faire face à la mort. C'était en fait la troisième fois. À l'âge de seize ans, il avait perdu le tiers de son visage dans un accident de voiture. Il était resté aux soins intensifs pendant deux semaines, et on lui avait fait 150 points de suture pour essayer de reconstruire son visage. Ensuite, au Vietnam, alors qu'il était en route pour une mission dans un tank avec ses hommes, son supérieur lui fit signe de revenir, car on avait besoin de lui. Le supérieur prit la place de Bob. Parti sans lui, le tank fut attaqué, puis explosa; tous ceux qui s'y trouvaient furent tués. Et maintenant, on lui disait qu'il ne lui restait plus que six mois à vivre. Il n'allait pas accepter cela sans rien dire. « Je voulais vivre, un point c'est tout », dit Bob plus tard. « Mettre sa vie en ordre avant de mourir? Ce n'est pas seulement cela. Il faut continuer à vivre comme si de rien n'était : aujourd'hui, je vais aller magasiner; aujourd'hui, je vais aller au théâtre; aujourd'hui, je suis vivant. »

Après son opération, Doris ainsi que plusieurs autres professeurs allèrent lui rendre visite, se demandant s'il allait pouvoir bouger son bras ou même l'utiliser un jour. Il leur montra immédiatement combien son bras lui était encore utile. Ils furent tous renversés.

Il allait à la plage tous les jours, marchant avec son corset plâtré sur le dos. Il apprit l'art de la visualisation grâce à la Wellness Community et ne se voyait qu'en santé. Il tint sa promesse et assista à la cérémonie de remise des diplômes de ses élèves, corset plâtré et tout le reste. Ils dédièrent la cérémonie en son honneur. Il savait qu'il allait passer à travers tout ça, il était un survivant.

En 1983, l'amitié de Doris et Bob se transforma en amour. Ils se marièrent tous les deux à l'âge de 38 ans et voulurent avoir des enfants. Ils avaient deux options : d'une part, Doris essaya de tomber enceinte, bien qu'elle souffrait d'endométriose, d'autre part, ils savaient tous les deux qu'ils étaient en mesure d'adopter un enfant.

Pour Doris, le lien du sang était quelque chose de tout à fait secondaire dans la maternité. Elle avait déjà élevé une jeune mexicaine abandonnée par sa mère. Un jour, le père s'était présenté dans la classe d'anglais, langue seconde, de Doris avec ses deux enfants — Olga, 10 ans, et Sotero, 13 ans. Doris apprit que leur mère leur avait menti en leur disant qu'ils allaient voir leur père aux États-Unis, puis qu'ils reviendraient ensuite à la maison. Ils ne retournèrent jamais à la maison. Ils emménagèrent avec leur père et vingt autres personnes dans un petit appartement.

C'était plus que Doris ne pouvait supporter. Plus elle en apprenait sur la famille, plus elle désirait leur venir en aide. Olga venait la voir tous les soirs dans sa classe en pleurant, parce qu'elle voulait revoir sa mère. Elle avait tellement peur dans ce nouveau pays dont elle ignorait la langue.

Doris emmena Olga et Sotero à Disneyland et au cinéma. Ils commencèrent à venir chez elle pour souper, et pour passer la nuit. Puis, Doris finit par proposer à la famille qu'un des enfants emménage avec elle. Sotero affirma qu'il était assez grand, et que c'était surtout Olga qui avait besoin d'une mère. Olga emménagea sans plus tarder chez Doris et Sotero vint la voir presque tous les jours. Ce fut à ce moment-là — après que Doris a vu Olga se marier et finalement travailler comme institutrice adjointe dans son école — qu'elle réalisa qu'elle pouvait aimer n'importe quel enfant, même s'il n'était pas le sien.

Ainsi, Doris et Bob entreprirent des démarches d'adoption tout en essayant d'avoir un enfant. Plusieurs amis et collègues découragèrent le couple d'entreprendre une adoption aux États-Unis. On leur dit que les listes d'attente étaient très longues, et qu'il arrivait bien souvent aux parents de changer d'avis. Ils continuèrent donc à multiplier leurs contacts en Amérique Latine. Après tout, ils parlaient tous les deux couramment l'espagnol et avaient déjà habité en Espagne. Doris avait aussi habité au Mexique et elle était assez familière avec la culture de ce pays.

Ils mirent de l'argent de côté. Ils suivirent une formation intensive sur l'adoption d'enfants étrangers. Ils établirent des contacts en Argentine, au Panama et en Colombie. Ils se créèrent un réseau de connaissances d'un bout à l'autre des États-Unis. On prit leurs empreintes digitales; ils furent interrogés par le FBI; ils eurent à rédiger chacun une autobiographie de quinze pages et à fournir 10 lettres de recommandation. Doris apprit d'un groupe de parents qu'il ne fallait pas laisser passer un seul jour sans faire quelque chose qui fasse avancer les démarches d'adoption. « C'est ainsi que vous vous sentirez plus forts. »

Le couple décida que le sexe de l'enfant, sa race, ou le fait qu'il soit atteint d'une infirmité minime quelconque leur importait peu. Ils étaient prêts à adopter un enfant même jusqu'à l'âge de quatre ou cinq ans.

Chaque soir, quand Doris revenait à la maison, elle se demandait si elle avait fait quelque chose concernant l'adoption ce jour-là.

Un soir, elle réalisa qu'elle connaissait de nombreux médecins auxquels elle n'avait pas encore demandé de l'aide. Elle écrivit donc à un ophtalmologiste, un interniste et un gynécologue pour leur demander s'ils ne pouvaient pas les aider, Bob et elle, à trouver un enfant à adopter. Puis, un soir, lors d'une journée portes ouvertes, le père de deux enfants qu'elle avait eus dans sa classe vint lors de la soirée. Il était chirurgien orthopédiste. Le lendemain, Doris, en rentrant chez elle, lui écrivit la même lettre qu'elle avait écrite aux autres médecins.

Plusieurs mois passèrent. Ils ne reçurent aucune nouvelle. Mais l'adoption internationale semblait prometteuse. Il y avait une possibilité d'adoption en Colombie, mais il leur faudrait déménager dans ce pays pendant deux mois pour aller chercher un enfant.

Quelques semaines avant qu'ils n'envoient 6 000 $, ainsi que les documents finaux pour l'adoption, le téléphone sonna. C'était la femme d'un obstétricien qui appelait pour leur dire qu'elle s'était fracturée la jambe et qu'elle était allée voir le chirurgien orthopédiste auquel Doris avait écrit. Celui-ci lui avait montré une lettre en lui demandant si elle pouvait faire quelque chose pour ces gens.

La femme savait que le travail de son mari n'avait rien à voir avec l'adoption. En fait, ils s'occupaient très rarement de ce genre d'affaires. Mais cette jeune fille de dix-sept ans n'était-elle pas entrée dans le bureau récemment, enceinte de 38 semaines, une catholique qui était contre l'avortement, accompagnée par sa mère? La jeune fille savait qu'elle était trop jeune, et donc incapable de s'occuper de son enfant. Quand la femme de l'obstétricien était retournée au cabinet de son mari, elle lui montra la lettre. L'obstétricien était sidéré. En effet, il avait déjà reçu trois autres lettres de la part d'autres médecins qui lui recommandaient ce couple. Ils décidèrent de parler à la jeune fille de Doris et Bob, et de lui dire que quatre autres médecins les avaient hautement recommandés comme parents adoptifs. La jeune fille voulut immédiatement les rencontrer.

Doris n'était pas certaine. Elle avait peur, peur que la jeune femme change d'avis en apprenant que Bob avait le cancer. Elle avait peur de vouloir intervenir dans la vie de

la jeune fille si elle la rencontrait. En tant qu'enseignante, tout ce à quoi elle pouvait penser, c'était comment
trouver un moyen d'aider cette fille à finir ses études. Bob
et Doris décidèrent de lui proposer de payer les frais si
elle acceptait d'aller voir un conseiller en orientation. La
jeune fille accepta, mais en tant que mère par le sang, elle
confirma son désir de les rencontrer.

Doris et Bob finirent par accepter de la rencontrer
dans le bureau de leur avocat. Doris n'oubliera jamais
cette journée-là. Elle fixait la poignée de la porte du
bureau; quand celle-ci tourna enfin, elle vit entrer cette
petite jeune fille de 17 ans, blonde, avec une queue de che-
val, débordante d'excitation et d'énergie. La fille, sa mère,
l'avocat, Doris et Bob s'assirent autour d'une grande
table en chêne.

La jeune fille regarda le couple dans les yeux et
déclara : « Je sais que tout ceci est difficile pour vous,
mais j'ai décidé d'exercer mes droits de mère naturelle
pour vous rencontrer. Je veux que vous sachiez que je ne
viendrai jamais chercher ce bébé ou changerai d'avis. Je
me considère comme une mère porteuse, et rien d'autre.
Je voulais voir vos visages heureux et souriants, et vous
dire que ce bébé est pour vous. »

Doris, Bob, la mère de la jeune fille et l'avocat fondi-
rent tous en larmes. La fille consola sa mère et, quand
finalement celle-ci cessa de pleurer, elle dit à tous que ces
larmes étaient vraiment des larmes de joie.

« Elle dit que nous étions tous bénis », déclara Doris.
Mais à ce moment-là, personne ne savait à quel point ils
l'étaient.

David est né en octobre 1986. Ils l'emmenèrent immédiatement à la maison, où Bob vêtu d'un corset plâtré, se
remettait d'une autre opération. Doris et Bob nourrirent

leur bébé blond aux yeux bleus en le berçant dans le tout dernier corset de Bob.

« Le corset est exactement à sa taille », dit Bob. Lui et Doris ne travaillèrent pas pendant la première année de la vie de David, afin de pouvoir se consacrer entièrement au plus beau cadeau qu'ils avaient jamais reçu. Ils étaient complètement amoureux de ce petit garçon.

Cinq années plus tard, alors qu'elle aidait David à s'habiller, Doris remarqua que ses glandes étaient enflées. Elle l'emmena voir le pédiatre, qui ne trouva rien d'anormal. Mais il y avait une petite voix qui disait à Doris de persister dans son idée. Elle l'emmena voir le pédiatre à plusieurs reprises. Puis, elle appela ses amis qui travaillaient dans le domaine médical. Sa numération globulaire était bonne, les rayons X ne révélèrent rien d'anormal. Doris l'emmena voir plusieurs autres médecins et finit par aller consulter un spécialiste des maladies infectieuses, qui suggéra de faire une biopsie des glandes de David.

Le pédiatre rappela Doris pour lui demander si elle n'avait pas remarqué d'autres symptômes, quels qu'ils soient, autres que les glandes enflées.

« Des sueurs nocturnes », dit Doris. « Il a des sueurs nocturnes. »

C'est alors que « l'enfer commença ». Les tests finirent par révéler que David était atteint d'une forme rare de lymphome non hodgkinien. Une tumeur fut diagnostiquée plus tard, au niveau de l'estomac. David se retrouva entre les mains du docteur Jerry Finklestein, directeur médical du Jonathan Jacques Children's Cancer Center, du Long Beach Memorial Hospital.

Finklestein fit asseoir David et ses parents et lui dit qu'il allait entreprendre un long voyage. Il s'agissait d'escalader la plus haute montagne que David avait jamais vue, et ce serait un voyage très difficile, un voyage avec beaucoup de pics et de vallées : « Quoi qu'il arrive, il faut toujours que tu t'imagines en haut de cette montagne, tout en haut, et ne jamais abandonner cette vision. »

Pendant les six mois qui suivirent, David suivit des traitements intenses de chimiothérapie. On lui administra les médicaments les plus toxiques que l'on puisse imaginer. Doris arrêta de lire les effets secondaires possibles — cécité, surdité, nausées — de peur qu'elle demande d'arrêter le traitement. David perdit tous ses cheveux, ses sourcils et ses cils. Il eut sept transfusions « magiques », lui dit-on, car le sang avait été donné par des amis et par des membres de la famille.

Jamais David n'a-t-il pensé qu'il allait mourir. Après tout, regardez son père : il avait le cancer, mais il était toujours vivant. Pour David, avoir le cancer, c'était quelque chose de tout à fait normal, comme attraper un rhume, les oreillons ou la varicelle. Il pensait qu'il avait quelque chose comme son père, et qu'après tout irait bien. Jamais Doris et Bob ne lui parlèrent de la mort. Ils voulaient paraître forts et unis devant lui. Jamais ils ne lui laissèrent voir combien ils avaient peur.

Ils emménagèrent à l'hôpital et dormirent sur le plancher de la chambre de David chaque fois qu'il était hospitalisé. Parfois, cela pouvait durer jusqu'à vingt jours de suite. La première fois que David fut hospitalisé pour un traitement de chimiothérapie, Bob dormit par terre, transpirant, revivant sa propre expérience, et sachant très bien ce que son fils était en train de traverser.

Lorsque David vomit suite aux traitements de chimiothérapie, ses parents lui dirent que son corps était en train de se débarrasser de toutes les mauvaises cellules qui lui faisaient du mal. Et, une fois de plus, l'école y mit du sien : il y eut une avalanche de cartes. Les gens préparaient des repas pour la famille. Tout le monde faisait de son mieux pour les encourager.

Tout cela s'est passé il y a trois ans. David a aujourd'hui neuf ans. Il va à l'école, et n'a eu aucun signe de cancer depuis maintenant trois ans. Il se montre très compatissant et compréhensif face à la maladie, malgré son jeune âge. Il écrivit cette lettre pleine d'affection à l'amie de sa mère qui avait été diagnostiquée avec un cancer du sein :

Chère Winnie,

Moi aussi j'ai eu le cancer. Tu vas perdre tous tes cheveux, mais ils repousseront. N'aie pas peur. Si tu as mal à la tête, mets tes doigts sur tes tempes, puis masse-les vers l'avant, puis vers l'arrière. Cela te soulagera pendant une minute. Les médicaments te donneront envie de dormir. Ne pense pas toujours à l'aiguille. Regarde simplement de l'autre côté. Tu te sentiras bien dans peu de temps. Écoute tes médecins, car ils te donneront des directives que tu comprendras. Dis-toi : « COMBAT CES MAUVAISES CELLULES. COMBAT CES MAUVAISES CELLULES. » Plus tard, tu seras plus forte. Ne t'inquiète pas. Peut-être que tu vomiras. Ce sont toutes les mauvaises cellules et tous les médicaments qui sortent de ton corps. Dis à ton mari, à tes filles et à ton fils, qu'ils te servent le déjeuner au lit, le dîner au lit et le souper au lit. Et regarde beaucoup la télévision. Je pense à toi.

Je t'embrasse
David, neuf ans

Doris et Bob savaient que si David avait été entre les mains d'une mère de 17 ans, ou de n'importe quelle mère qui n'avait jamais eu affaire au cancer auparavant, les glandes enflées seraient passées inaperçues et le cancer se serait répandu dans le corps de David comme un feu de forêt.

Encore aujourd'hui, à cause de la façon magique par laquelle David est entré dans leur vie, ils sont persuadés que c'est la Providence qui l'a voulu ainsi, afin qu'ils puissent le sauver.

Pendant que David se battait contre la maladie, ses parents gagnèrent un voyage au Mammoth Lakes.

Quand, deux années plus tard, David se sentit mieux, ils escaladèrent le mont Mammoth. Ils restèrent là, tous les trois, à regarder le ciel. Ils avaient réussi à escalader la montagne jusqu'au sommet.

Diana L. Chapman

Une aventure inoubliable

C'est une chose étrange dans l'expérience humaine, mais le fait de vivre une période de stress et d'affliction en compagnie d'une autre personne crée des liens que rien ne semble pouvoir détruire.

Eleanor Roosevelt

Nous nous sommes rencontrés en janvier 1995. J'avais 54 ans, et il était assez jeune pour être mon fils; nous allions devoir passer plusieurs heures ensemble dans des conditions des plus intimes.

Sa chambre était froide et vide, avec un grand lit aussi dur que de la pierre, mais avec une merveilleuse fenêtre dans le toit qui changeait de couleur lorsque le matériel photographique qu'il utilisait faisait le tour de la chambre. Il me laissait souvent seule dans la chambre, mais je savais qu'il n'était jamais très loin, et qu'il me surveillait de son point d'observation. Ce n'est pas du tout le début d'une histoire d'amour, mais l'histoire du jeune docteur Wollman, mon radiologue.

Après ma chirurgie du sein, il devint mon meilleur ami. Lors de ma première visite, il m'annonça que sept semaines d'amusement étaient sur le point de commencer. Il m'expliqua, en langage profane, à quoi je devais m'attendre, et me montra la chambre ainsi que l'équipement qui serait utilisé lors des traitements de radiation de mon sein gauche. La première visite est la plus longue, au moins 45 minutes d'immobilité, le temps qu'ils ajustent la machine et marquent les points cibles sur votre corps — mon premier et mon dernier tatouage, en passant. Après les deux premières semaines de radiation —

cinq fois par semaine, pour un grand total de quatre minutes par jour — on aurait dit que la zone irradiée avait reçu un très gros coup de soleil. Et ce n'est pas tout : le sein traité passe d'un bonnet B à un bonnet C, ou mieux. Porter un soutien-gorge est tout à fait hors de question et la chaleur qui se dégage de la partie irradiée est insupportable.

C'est inimaginable ce qui peut vous passer par la tête alors que vous fixez la fenêtre dans le toit, en attendant la fin du traitement. Vous finissez par connaître les soignants tellement bien, qu'ils deviennent comme des membres de votre famille. Mon Dr Wollman et son équipe étaient là pour me remonter le moral, chaque fois qu'ils voyaient que j'étais déprimée. Je pense même que j'ai remonté le leur de temps à autre. Peut-être qu'ils ne s'en sont jamais aperçu, mais l'accueil qu'ils me réservaient chaque fois que je me présentais pour un traitement valait bien l'inconfort et la panique que je ressentais chaque fois.

Tout au long de ces sept semaines, j'ai prié, j'ai raconté des blagues et j'ai médité. Quand le temps était venu pour moi « d'être diplômée », comme on dit, je pleurai en disant au revoir à « ma nouvelle famille ».

Toutefois, je vois encore ce cher médecin, toujours avec ce beau sourire et cette chaleureuse étreinte qui illuminèrent ma vie pendant sept semaines. Je n'oublierai jamais ces soignants, et je souhaite que tous les cancéreux qui ont à suivre des traitements de chimiothérapie et de radiothérapie aient autant de chance que moi. Au début, c'est tout à fait normal d'avoir peur, parce que tout est nouveau. Toutefois, si vous avez la bonne attitude positive, et le bon médecin, cela peut presque devenir un souvenir inoubliable.

J'ai eu ma première mammographie en octobre, et tout se passa très bien. C'est très important pour nous, les femmes, de connaître notre corps et de demander un deuxième ou un troisième diagnostic si on a des doutes. Si mon médecin n'avait pas insisté pour que ce petit kyste au sein soit retiré, je n'y aurais jamais porté attention.

Je vais continuer de vivre ma vie le plus pleinement possible, et être ici au même moment l'année prochaine et les années suivantes. Après tout, il y a encore tellement de couchers de soleil à admirer, et tant d'amour à donner.

Je vous souhaite tous d'avoir un Dr Wollman, et votre aventure pourra être une chose dont vous vous rappellerez avec tendresse et sans regrets.

Linda Mitchell

À *toutes les infirmières et infirmiers du monde*

Vous, les évangélistes de l'encouragement, êtes beaucoup plus importants que vous ne le pensez.

Vous n'avez jamais laissé ce que vous ne pouviez pas faire vous empêcher de faire tout ce que vous pouviez accomplir.

Vous êtes des vendeurs, et vos valises sont remplies d'un produit qui s'appelle l'espoir.

Vous êtes des explorateurs qui savez que lorsque vous serez allés aussi loin que vous êtes capables de voir, vous verrez plus loin.

Vous êtes des chanteurs qui répandez la mélodie de la compassion.

Vous êtes des avocats qui défendez la cause de la vie.

Vous êtes des auteurs qui aidez les autres à rajouter des pages à leur livre de souvenirs.

Vous êtes des humoristes qui administrez le médicament du rire.

Vous êtes des artistes qui peignez des images de santé sur la toile de l'imagination.

Vous êtes des magiciens, créant de vrais miracles, qui encouragent les patients et leur familles.

Comme le roi Arthur et Jeanne d'Arc, vous êtes des guerriers qui luttez contre les vilains de la négativité.

Dorothy aurait trouvé Oz plus rapidement si elle avait été accompagnée d'une infirmière ou d'un infirmier — car aucun ne peut exercer votre profession s'il ne possède déjà un cerveau débordant de sagesse, un courage sans limites et un cœur rempli d'amour.

Vous êtes la preuve vivante que l'humanité est faite à l'image et à la ressemblance de Dieu, et le nom de ce Dieu est Amour.

John Wayne Schlatter

Cher docteur Terebelo

C'est cette chose intangible, l'amour, l'amour sous toutes ses formes, qui entre dans toute relation thérapeutique. C'est un élément dont le médecin peut être le porteur, le dispensateur. C'est un élément qui panse et guérit, qui réconforte et restaure, qui fait ce que nous devons appeler, pour le moment, des miracles.

Dr Karl Menninger

Le 28 mai 1992

Cher Dr Terebelo,

J'ai envie de vous dire que je vous remercie, maintenant que tout est fini; mais je sais que ce n'est pas le cas. Je sais que pendant l'année qui commence, tandis que la plus grande partie de moi va rire et s'amuser, une partie de moi va rester en retrait, dans l'ombre et prier. Mais ça suffit!

Je vous ai choisi comme médecin parce que j'ai entendu dire que vous étiez bon, et c'est exactement ce que je recherchais. Je voulais quelqu'un qui savait vraiment ce qu'il faisait, qui serait franc avec moi, qui ferait son travail de clinicien et me laisserait tranquille. J'étais forte, j'étais capable de faire face à n'importe quoi.

Je vous remercie d'avoir su ce que vous faisiez, d'avoir été franc avec moi — et de ne pas m'avoir laissée seule.

Je vous remercie d'avoir essayé de m'éduquer. Quand j'ai appris que j'avais le cancer, c'était comme si tout d'un coup j'avais perdu la maîtrise de ma vie. (Peut-être que c'était le cas?) Le seul moyen que j'avais pour faire face à ce qui m'arrivait, c'était d'apprendre. Je vous remercie de m'avoir donné accès à toutes les informations dont j'avais besoin, d'avoir été honnête avec moi et de m'avoir appris tant de choses — ou au moins d'avoir essayé!

Je vous remercie de ne pas m'avoir traitée de mauviette, de m'avoir montré la différence entre se reposer et abandonner.

Je voudrais vous remercier pour les médicaments, mais je ne suis pas masochiste à ce point. Ce dont je veux vous remercier, c'est de m'avoir aidée à faire face à ces médicaments.

J'étais toujours très étonnée de voir que, chaque fois que je me trouvais dans votre bureau, vous n'aviez jamais l'air pressé. Même lorsque je réagissais comme une enfant, vous écoutiez patiemment. Merci de m'avoir consacré, si généreusement, tant de temps.

Merci d'avoir compris les larmes. J'essayais de me persuader que c'était tout à fait normal de pleurer, mais je détestais les larmes. J'avais tellement peur. Je n'avais jamais eu aussi peur, je ne m'étais jamais sentie aussi frustrée ou impuissante. Merci de m'avoir laissée pleurer tout en gardant ma dignité. (Je regrette encore de ne pas avoir fait des réserves de mouchoirs de papier.)

Merci pour toutes les petites tapes et les poignées de main — le toucher peut aussi être source de guérison.

Merci d'avoir essayé de m'enseigner la patience. (Je pense que c'est une cause perdue.)

Et, quoi que l'avenir me réserve, je vous remercie d'avoir fait de votre mieux, d'avoir compris que, spécialement quand j'ai peur, j'ai besoin d'être impliquée. Je vous remercie d'avoir argumenté avec moi quand c'était vraiment important. (Ceux qui me connaissent bien pensent que vous êtes pas mal courageux.)

Affectueusement,
Paula

P.S. : Quelque chose que j'ai finalement réalisé : il n'existe pas de réponse à toutes les questions, ou un remède à toutes les maladies. Je ne m'attendais pas à ce que vous me guérissiez. Je ne vous ai pas tenu responsable des résultats du traitement. Mais je m'attendais à ce que vous fassiez de votre mieux. En faisant cela, vous avez gagné ma confiance. En vous souciant, vous avez gagné mon respect.

Paula (Bachleda) Koskey

Conseils pratiques pour aider les personnes gravement malades

- Ne me fuis pas. Sois l'ami... l'être aimé que tu as toujours été.

- Touche-moi. Le simple fait de me serrer la main peut me montrer que tu te soucies encore.

- Appelle-moi pour me dire que tu m'as préparé mon plat préféré, et à quelle heure tu vas venir me l'apporter. Apporte la nourriture dans des récipients jetables, pour que je n'aie pas à me soucier de te les rendre.

- Prends soin de mes enfants pour moi. J'ai besoin d'un peu de temps pour être seul avec la personne que j'aime. Mes enfants aussi ont peut-être besoin de se reposer un peu de ma maladie.

- Pleure avec moi quand je pleure. Ris avec moi quand je ris. N'aie pas peur de partager cela avec moi.

- Emmène-moi en voyage d'agrément, mais connais mes limites.

- Appelle-moi pour savoir ma liste de choses à acheter, et fais une livraison spéciale chez moi.

- Téléphone-moi avant de venir, mais n'aie pas peur de venir me voir. J'ai besoin de toi. Je me sens seul.

- Aide-moi à célébrer les jours de fête (et la vie) en décorant ma chambre d'hôpital, ou ma maison, ou apporte-moi des petits cadeaux, comme des fleurs ou d'autres trésors de la nature.

- Aide ma famille. C'est moi qui suis malade, mais eux aussi peuvent souffrir. Propose de venir rester avec moi, pour donner à ceux que j'aime une chance de se reposer. Invite-les à sortir. Emmène-les visiter des endroits.

- Sois créatif. Apporte-moi un recueil de pensées; des cassettes de musique; un poster pour décorer mon mur; des biscuits que je pourrais partager avec ma famille, mes amis...

- Parlons-en. Peut-être que j'ai besoin de parler de ma maladie. Tu le sauras si tu me poses la question suivante : « As-tu envie d'en parler? »

- Ne pense pas qu'il faille toujours que nous parlions, nous pouvons simplement nous asseoir ensemble en silence.

- Peux-tu déposer mes enfants ou me déposer quelque part? Peut-être ai-je besoin que quelqu'un me conduise pour un traitement, au magasin, ou chez le médecin.

- Aide-moi à me sentir bien dans ma peau. Dis-moi que, considérant ma maladie, j'ai l'air bien.

- S'il te plaît, je veux participer aux prises de décisions. On m'a déjà volé tellement de choses; s'il te plaît ne me prive pas de la possibilité de prendre des décisions concernant ma famille ou ma vie.

- Parle-moi de l'avenir, de demain, de la semaine prochaine, de l'année prochaine. L'espoir a tellement d'importance pour moi.

- Apporte-moi une attitude positive. C'est contagieux!

- Que disent les nouvelles? Les magazines, photos, journaux, reportages m'empêcheront de penser que le monde me glisse entre les doigts.

- Peux-tu m'aider avec le ménage? Même si je suis malade, ma famille et moi continuons à avoir du linge à nettoyer, de la vaisselle à laver et une maison à entretenir.

- Arrose mes fleurs.

- Envoie juste une petite carte pour me dire : « Je tiens à toi. »

- Prie pour moi et partage ta foi avec moi.

- Dis-moi ce que tu aimerais faire pour moi, et si je suis d'accord, fais-le s'il te plaît.

- Parle-moi des groupes de soutien, pour que je puisse partager avec d'autres.

Saint Anthony's Health Center

Atteindre la guérison

En 1979, j'étais une mère célibataire de 37 ans, avec une fille de 11 ans et un garçon de 8 ans. J'étais secrétaire de direction pour le président d'une compagnie de bureautique.

Un matin, alors que je m'habillais pour aller travailler, j'agrafai mon soutien-gorge en avant, le fit tourner, et détectai une bosse alors que ma main gauche effleurait mon sein gauche.

J'ignorais tout du cancer du sein ; il n'y en avait jamais eu dans ma famille, ou parmi mes connaissances. Peut-être parce que mon père était décédé six mois auparavant d'un lymphome, j'ai immédiatement appelé mon gynécologue. Ni lui ni le chirurgien qu'il me recommanda ne pensait qu'il pouvait s'agir d'un cancer, mais il suggéra une biopsie. Nous étions en effet tous très surpris d'apprendre que la bosse était maligne. En 1979, la seule option qui s'offrait à moi était une mastectomie radicale modifiée ; je fus opérée dans les quatre jours suivants.

Lorsque j'étais à l'hôpital, une bénévole du programme American Cancer Society's Reach to Recovery vint me voir. Elle entra dans ma chambre en disant : « Bonjour, je viens de la part de Reach to Recovery [Atteindre la guérison], et j'ai eu la même opération que vous. » Je suis incapable d'exprimer l'espoir et le soulagement que j'ai ressentis en la voyant si jolie, en bonne santé et heureuse ! Je sus immédiatement que je participerais à ce programme un jour.

Je ne peux dire avec certitude pourquoi je fus remise sur pied aussi vite, mais je sais que le formidable soutien reçu de ma famille et de mes amis a eu beaucoup d'impact. Je me demande souvent si l'atroce souffrance que j'ai éprouvée — et que je continue d'éprouver — face à l'échec de onze années de mariage a pu jouer un rôle dans tout ça. Le cancer semblait s'éclipser comparé au divorce imminent.

Mais l'attention que je devais apporter à mes merveilleux enfants et le fait d'aider mon incroyable mère à se remettre de la mort récente de mon père ont favorisé mon rétablissement et m'ont motivée à reconstruire ma vie.

Deux ans plus tard, je renouai avec mon premier petit ami, qui avait déménagé au Nevada quand nous étions à l'école secondaire. Nous eûmes une relation basée sur des appels interurbains pendant quelques semaines, avant qu'il ne propose de venir me visiter. Je ne lui avais pas encore parlé de ma mastectomie. Sa mère était décédée d'un cancer des ovaires, et je n'étais pas sûre de la façon dont il réagirait. Je me dis que je devais l'informer, afin de lui éviter de faire le voyage.

Alors, je lui dis tout simplement : « Au fait, j'avais omis de te dire que j'ai eu un cancer du sein et une mastectomie, il y a environ deux ans. »

Il y eut un moment de silence à l'autre bout du fil, puis : « Et tes dents, y aurait-il une prothèse dentaire dont je ne serais pas au courant? » Ross et moi nous mariâmes six mois plus tard, sur le ranch d'un de nos amis, dans le Nevada.

Nous discutâmes de la possibilité d'une récurrence. Nous étions quelque peu préparés lorsque, 18 mois plus tard, je découvris une bosse dans le sein qui me restait. On me proposa une tumorectomie, mais j'optai pour une autre mastectomie, et cela pour plusieurs raisons, dont le côté esthétique — maintenant, je pouvais avoir la taille que je voulais! Je fus de nouveau bénie par l'absence de ganglions positifs et un rétablissement facile.

Je dois admettre que, cette fois-ci, j'étais très en colère. J'avais bien fait attention à moi, j'étais très heureuse, et tout semblait aller pour le mieux dans ma vie. Fort heureusement, j'avais de nombreuses activités et des responsabilités qui me gardaient occupée. J'étais responsable du programme Reach to Recovery de Reno, qui favorisa mon propre rétablissement.

J'ai eu le plaisir de travailler 14 ans comme bénévole, coordinatrice d'unité et, aujourd'hui, coordinatrice de la division du Nevada de Reach to Recovery. Le fait d'aller voir des personnes qui viennent d'être diagnostiquées avec un cancer du sein, et de pouvoir leur offrir une image positive, est tellement gratifiant! Bien que je n'aie pas opté pour une reconstruction, je sais combien cette opération est importante pour certaines personnes. J'ai été très heureuse de témoigner devant la législature du Nevada en 1983, en faveur d'un projet de loi qui obligerait les compagnies d'assurances couvrant les mastectomies à garantir aussi les reconstructions. La loi fut votée. J'ai aidé le front commun national pour le cancer du sein, et je suis fière des progrès qui ont été réalisés dans le domaine du financement de la recherche résultant de ces efforts. Actuellement, je m'adresse à des groupes qui sont en faveur du dépistage précoce — examen clinique, auto-examen et mammographies.

En novembre 1994, je participai à une campagne à l'échelle de toute la ville appelée « Buddy Check » (compagne d'auto-examen), qui encourage les femmes à se trouver une compagne, pour se rappeler l'une l'autre de faire leur auto-examen tous les mois. Cette campagne a eu un impact positif, et je continue de faire connaître ce programme par le biais de médias et de présentations personnelles.

Trois ans après ma deuxième mastectomie, une leucémie aiguë lymphoïde fut diagnostiquée, et j'eus à suivre 15 mois de chimiothérapie agressive et de radiothérapie, ce qui, bien évidemment, capta toute mon attention! Je crois avoir connu toutes les émotions et tous les effets secondaires possibles, de vraies montagnes russes : plus un seul poil sur le corps pendant plus d'un an; une faiblesse et une fatigue inimaginables; des nausées et des aphtes buccaux; des hauts et des bas émotionnels — mais en définitive, beaucoup plus de bonnes journées que de mauvaises journées, plus de « hauts » que de « bas ». Je pense que les expériences réussies que j'ai vécues avec le cancer du sein m'incitèrent à avoir une attitude positive, et je suis heureuse de vivre ma neuvième année de rémission!

Mes trois expériences du cancer m'ont donné le goût de reprendre mes études pour obtenir un diplôme en Développement humain et études familiales. Un Bac à 50 ans! Maintenant, je travaille sur appel auprès des cancéreux, dans un important centre médical qui me met en rapport avec les patients et leur famille. J'anime aussi un groupe de soutien hebdomadaire dans l'hôpital; j'offre des consultations privées, et je coordonne le programme « I Can Cope » (je peux m'en sortir) de l'American Cancer Society. Je crois vraiment que les cancéreux ont besoin de voir des gens qui sont « déjà passés par là » et donnent aux survivants du cancer, aux membres de leur famille et à ceux qui sont en traitement, la chance d'explorer toutes les idées, outils, théories et ressources — tout ce qui est disponible pour guérir.

Je suis tellement reconnaissante d'être toujours ici pour profiter de la vie aux côtés d'un mari qui ne m'a jamais abandonnée, même pas une minute, au cours de ces 14 dernières années. J'ai été très heureuse d'assister à la graduation de mes deux enfants et de pouvoir planifier le mariage de ma fille, en juin 1995! Mon fils vient tout juste de se fiancer et compte se marier l'été prochain. Mon expérience avec le cancer a montré à mes enfants que le cancer n'est pas nécessairement une condamnation à mort; ils ont aussi appris des choses sur la manière de faire face à l'adversité et de gagner. Il m'est difficile d'être déprimée, car je sens que la vie a été très bonne pour moi.

Quels conseils pourrais-je donner à quelqu'un qui fait face au défi du cancer? Nous sommes tellement différents les uns des autres et chaque situation est tellement unique, je ne peux que vous faire part de ce qui est efficace pour moi :

1. Ayez une relation authentique avec votre médecin, ce qui inclut que vous puissiez obtenir autant d'informations et de formation que vous le désirez.

2. Soyez confiant que quel que soit la thérapie employée (chimio, radiation, ou les deux), elle sera efficace.

3. Laissez votre corps vous dicter votre degré d'activité. Ne le poussez jamais. Les « bons » jours, faites quelque chose d'amusant et/ou de significatif pour vous.

4. Visualisez-vous en bonne santé, fort et plein d'énergie; et faites venir cette image à votre esprit plusieurs fois par jour, et avant de vous endormir.

5. Permettez aux autres de faire des choses pour vous; c'est le plus beau cadeau que vous puissiez leur faire, dans une situation où ils se sentent impuissants.

6. Faites une liste de tout ce que vous voudriez faire et de tous les endroits que vous voudriez visiter avant de mourir, et revisez-la régulièrement.

7. Prenez contact avec toute spiritualité qui vous paraît significative et faites-en un partenaire de guérison.

8. Gardez en mémoire le cliché « avoir une attitude positive », le plus possible, mais n'en devenez pas son prisonnier. C'est tout à fait normal d'avoir des mauvaises journées, de pleurer et de s'écrier : « C'est pas juste ! » Sachez que ces sentiments sont passagers.

9. Joignez-vous à un groupe de soutien, et essayez de suivre les procédés et les techniques anti-stress que les autres vous proposent. Puis, revenez rendre visite au groupe lorsque vous serez guéri, afin d'inspirer les autres.

10. Ralentissez et prenez le temps d'apprécier toutes les choses merveilleuses de la vie, ainsi que tous les petits miracles quotidiens.

Je peux dire que j'aime le travail que je fais, à cause de l'inspiration que je reçois en travaillant tous les jours auprès des cancéreux. Il y a une aura de courage et d'énergie qui règne dans le service d'oncologie et qui se propage dans les groupes de soutien. Je le sens aussi bien dans les conversations téléphoniques que dans les affectueuses étreintes entre patients, familles et amis, comme si, d'une quelconque manière, la force et l'amour étaient très contagieux et curatifs. Devrais-je recommander une petite dose de cancer à chacun pour qu'il soit en mesure d'expérimenter ce dont je viens de parler? *Mon Dieu! Non!* Je crois, toutefois, que ma vie ne serait pas aussi précieuse et pleine de sens si je n'avais pas vécu l'expérience du cancer.

Sally deLipkau

Une mission spéciale

Jamais je n'aurais pu imaginer, en avril 1986, à quel point un « amas de microcalcifications » allait changer ma vie. S'agissait-il de la volonté de Dieu, de la malchance, du destin ou d'une forte prédisposition génétique (ma mère, deux de mes tantes et une de mes sœurs eurent aussi à se battre contre un cancer du sein)? Peu importe, ma vie fut grandement affectée par ce premier diagnostic.

Je suis Sœur Sue Tracy, o.p. (ordre des prêcheurs), une Polonaise américaine, religieuse dominicaine de 55 ans, de Grand Rapids. Bien que ma ville d'origine soit Détroit, mes 36 ans de vie religieuse ont fait en sorte que j'ai eu plusieurs points d'attache un peu partout. J'ai eu entre autres pour mission d'enseigner au niveau des premier et deuxième cycles du secondaire, de diriger la vocation pour ma communauté religieuse, d'avoir le ministère paroissial pour tout le Nord du Michigan, et maintenant d'être aumônier dans un hôpital. Depuis 1989, j'ai travaillé comme directrice du service pastoral à l'Hôpital Mercy de Toledo. Il s'agit en fait plus d'un plaisir que d'un travail.

Un des aspects essentiels de mon ministère hospitalier était d'entrer en contact avec d'autres personnes qui souffraient du cancer, ainsi que leur famille. Échanger avec ces personnes pleines de forces fut l'un des plus beaux effets secondaires du cancer. Le jour de mon cinquantième anniversaire, je me suis engagée comme bénévole auprès de l'American Cancer Society Cansurmount, et ajoutai la section du comté de Lucas à la liste de mes points d'attache — une mission qui m'apportait à la fois réconfort et défi.

En janvier 1993, le cancer frappa de nouveau. Trois choses m'apparaissaient essentielles : (1) je voulais que Dieu soit glorifié quoi qu'il arrive; (2) je voulais apprendre les leçons de vie inhérentes à cette récurrence du cancer du sein; et (3) je voulais continuer à avoir des responsabilités, à travailler en réseau avec les médecins, pas en tant que victime mais en tant que partenaire. Je sentais que j'avais un rôle important à jouer dans mon processus de guérison.

Les contacts que j'avais au sein de l'American Cancer Society eurent à jouer un rôle vital dans mon expérience de guérison holistique depuis le mois de mai 1986. *Reach to Recovery* fut le premier contact qui ranima mon espoir chancelant; *I Can Cope* m'aida à dominer ma peur atroce face aux traitements de chimiothérapie; *Look Good...* et *Feel Better* furent pour moi un cadeau de deux heures de bon temps à faire connaissance avec d'autres femmes en accumulant une mine d'or en maquillage gratuit. Cette année, au mois de juin, j'ai eu le privilège de me rendre à Dublin, dans l'Ohio, au bureau principal de l'État, pour partager *mon histoire du cancer* avec les gens de l'American Cancer Society. Au cours des huit dernières années, l'American Cancer Society fut pour moi un compagnon précieux dans ce voyage à travers la maladie.

Non, je n'aurais pas choisi librement le cancer une première, puis une deuxième fois. Cependant, aujourd'hui j'avoue que je n'échangerais pour rien au monde ce que le cancer m'a permis d'apprendre, de vivre et d'aimer. Je ne me considère pas seulement comme une survivante du cancer — avec tout le respect que je dois à ce terme communément utilisé. Je me vois plutôt comme une femme épanouie par le cancer. La base de mon attitude est la gratitude.

Je sais qu'il n'y a rien qui me garantit que cela n'arrivera pas de nouveau, mais je ne vis pas en retenant mon souffle. Je chéris la vie. Avec une diète attentive, de l'exercice modéré, une attitude positive et la prière quotidienne, je continue d'avancer courageusement. Je crois que Dieu m'a chargée d'une mission, celle d'être présente et d'être un soutien pour mes compagnons dans ce voyage qu'est le cancer. Alors, à travers les hauts, les bas et les entre-deux, je me sens profondément bénie.

Sœur Sue Tracy, o.p.

7

PERSPECTIVES
ET LEÇONS

La vie est faite d'une succession de leçons
qui doivent être vécues pour être comprises.

Ralph Waldo Emerson

Ce que le cancer m'a appris

Toute une expérience que celle du cancer. Ma vie sera très différente dorénavant. Eh oui, je suis une de celles qui veulent vivre jusqu'à cent ans. Une infirmière exceptionnelle m'a dit un jour de « vivre pleinement chacune de mes journées ». Et savez-vous ce que pleinement signifie pour moi, maintenant que je suis de nouveau sur pied, après deux opérations en l'espace de cinq semaines ? Vivre pleinement, c'est étendre son linge au soleil, avec un chat qui se frotte contre vos jambes.

Caryn Summers, R.N.

D'ordinaire, je suis une célibataire très occupée ; c'est ce qui explique mon habitude de différer mes problèmes de santé jusqu'à ce qu'ils atteignent un seuil critique.

Ainsi, ce ne fut qu'après plusieurs mois que je décidai d'aller consulter un interniste, pour faire examiner une glande enflée que j'avais sous l'oreille et qui persistait au lieu de disparaître avec le temps. Après la consultation, le médecin me conseilla de ne pas « la déranger » si elle ne me dérangeait pas. Je pris ses conseils à la lettre. Pendant les trois années qui suivirent, je consultai le même médecin qui me soigna pour d'autres problèmes mineurs de santé.

Un jour, je l'appelai pour qu'il me réfère à un dermatologiste, car cela faisait plusieurs semaines que mes mains et mes pieds étaient irrités. Il me suggéra de venir le voir à son bureau, et dit qu'il me réfèrerait à un dermatologiste si jamais il n'était pas en mesure de soigner mes irritations.

Lors de la consultation, je lui rappelai que ma glande était toujours enflée. Il parut choqué de ne pas en avoir été informé avant. Je lui suggérai alors de vérifier les notes qu'il avait prises lors de ma première visite, trois années auparavant.

Et, voilà! Plusieurs semaines plus tard, on m'opérait pour exciser une glande parotide maligne. D'autres tumeurs furent découvertes dans ma poitrine et à l'arrière de mon nez. On diagnostiqua un lymphome. Le pronostic était le suivant : 40 % de chances de survivre pendant cinq ans.

Ma première réaction fut la confusion. Je me demandais ce que j'allais faire maintenant. Je considérai les différentes possibilités : je pouvais broyer du noir, comme j'avais déjà vu beaucoup de monde le faire; je pouvais en vouloir à tous ceux qui m'entouraient, me mettre en colère contre Dieu, être aliénée et isolée dans mon dilemme — cela aussi, je l'avais déjà observé. J'avais entendu parler de certaines réactions fatalistes où les malades décidaient « qu'on mourrait tous de quelque chose de toute manière », et attendaient passivement que la mort vienne les chercher.

J'envisageai plusieurs autres manières de réagir, mais je finis par faire un choix que j'appelle « interactif » : je décidai de prendre part aux décisions qui affecteraient le temps qu'il me restait à vivre — quel qu'en fût la longueur. Ce fut une bonne décision.

Je commençai à me documenter sur ma maladie. Je lus à propos des chances de survie des cancéreux qui correspondaient à mon profil démographique; à propos des essais cliniques qui avaient été réalisés; et à propos des diverses thérapies chimiques qui avaient été employées, et de leurs effets secondaires. Je consultai une infirmière qui soignait des cancéreux et travaillait avec des oncologues. Je lus tout ce que l'American Cancer Society avait publié concernant ma maladie. Pendant les deux semaines qui séparaient mon opération de ma première radiothérapie, je fus en mesure de faire des choix éclairés concernant mon traitement. Voilà la première leçon : faire des choix éclairés. En effet, les moments difficiles sont plus faciles à supporter quand ils résultent de nos propres choix.

Avant qu'une décision ne soit définitive, je tentais de m'informer sur les différentes options qui s'offraient à moi et sur leurs conséquences. Les médecins, bien qu'exaspérés tout d'abord par mon attitude, s'attendèrent éventuellement à ce que j'aie le dernier mot.

Chacun des choix que je fis fut difficile. J'aurais pu, par exemple, attendre une année sans traitements, en espérant que l'intervention ait tout fait disparaître; ou suivre un traitement complet de radiothérapie, en espérant que les radiations dissolvent toutes les tumeurs; ou avoir de la radiothérapie et plusieurs traitements de chimiothérapie, avec en plus une greffe de la moelle osseuse (si et quand le cancer serait neutralisé). J'ai finalement opté pour le traitement complet : radiation, chimiothérapie et greffe — en plus de l'intervention. Je ne l'ai pas regretté.

La deuxième leçon que j'ai apprise fut de ne pas fuir les décisions difficiles. Nous sommes plus forts que nous le pensons.

Dans mes lectures, j'ai découvert les œuvres et les cassettes du Dr Bernie Siegel, fondateur du groupe Exceptional Cancer Patients (ECaP), de renommée nationale. Il a découvert que, parmi ses patients, ceux qui survivaient des mois ou des années après le pronostic qu'on leur avait donné étaient ceux qui participaient à la prise de décision concernant leurs traitements. Dans son livre *Love, Medicine & Miracles*, le Dr Siegel pose une question fondamentale : « Qu'est-ce que cette maladie vous permettra de faire et que vous n'aviez jamais eu le courage de faire auparavant? »

En fait, avant que je ne tombe malade, je n'avais jamais eu le courage de dire non. J'étais toujours fatiguée, mais je me surmenais. Je ne croyais pas en ce que je faisais, mais je le faisais quand même, pour recevoir l'appréciation des autres. Je remettais à plus tard les choses que je voulais faire pour moi-même, parce que je préférais l'appréciation des autres que j'estimais beaucoup plus importants que moi-même.

Le cancer a changé tout cela : il m'a appris à dire non. Le cancer était une bonne excuse pour faire ce que je voulais faire depuis longtemps : me reposer, rester allongée et lire, laisser les autres venir vers moi, penser à moi en premier! La troisième leçon que j'ai apprise fut de m'aimer plus. C'est l'amour qui me manquait.

Il faut que je sois franche concernant la prochaine leçon : « Cherche le bien n'importe où et tu le trouveras partout. » Au début de mon traitement, je me suis inscrite à un cours d'art oratoire et de relations humaines de Dale Carnegie. Chaque personne prenait une résolution qu'elle mettait en pratique tout le temps que durait le cours. Je pris la résolution de ne plus critiquer, condamner ou me plaindre. À partir de ce moment-là, je commençai à voir le bien partout où je le cherchais.

Les nuits pendant lesquelles la douleur tournait en orbite dans mon corps, comme un satellite invisible, et que je n'avais pas dormi pendant ce qui me semblait être des jours, je me sentais comme enveloppée d'une aura de paix et de confiance inégalables. J'appris à expérimenter plus en profondeur la signification du mot grâce.

Vers la mi-octobre, je perdis mes cheveux. Parce qu'il faisait trop froid pour me promener avec une tête chauve, je dus me trouver un couvre-chef qui s'harmonise avec ma garde-robe et ma personnalité. J'optai pour des casquettes de baseball. Maintenant, j'en ai toute une collection. À cette époque, ma casquette préférée était fuchsia! Je la portais tout le temps. Aujourd'hui, même si mes cheveux ont repoussé, je continue de la porter. Les gens avaient l'habitude de rire en me voyant, mais pour moi, c'était beaucoup mieux que s'ils me regardaient avec pitié. Quelle était la morale de cette leçon? Garder le sens de l'humour dans n'importe quelle situation! Mon attitude aida les gens qui me voyaient à trouver du courage.

Je décidai ensuite de profiter plus pleinement de la vie. Un des rêves que j'avais complètement abandonné était de finir mes études. Je réussis à obtenir un prêt étudiant et à m'inscrire à l'université à temps plein, tout en continuant de travailler à temps plein, et je ne manquai qu'un seul cours en 14 mois. Le 11 février 1993, je terminai un baccalauréat en gestion et communications à Concordia University, dans le Wisconsin, avec très grande distinction, et je fus chargée de faire le discours d'adieu au nom de ma promotion.

Après un repos de huit mois, je m'inscrivis à des études supérieures et, l'année suivante, je terminai ma maîtrise en gérontologie (avec une moyenne pondérée cumulative de 4.4). Nous sommes capables de tout faire par la grâce du Christ (qui, je le crois, est Dieu qui vit en nous)! Le fait d'avoir survécu au cancer m'a persuadée que j'étais vraiment capable de faire *n'importe quoi!*

Au cours des quatre dernières années, j'ai travaillé comme conseillère bénévole pour CanSurmount — surtout pour garder à l'esprit ce que le cancer m'avait enseigné. Mon expérience du cancer semble profiter à un grand nombre de personnes et en inspirer d'autres, mais je continue de me sentir plus riche et plus forte chaque fois que je parle avec des personnes qui commencent des traitements d'un cancer.

Le 11 février 1994 — le troisième anniversaire de ma rémission — la directrice de CanSurmount m'appela à mon travail. Elle voulait savoir si j'accepterais de conseiller une autre personne, une dame avec le même diagnostic que le mien — Jacqueline Kennedy Onassis. Je consentis et écoutai, stupéfaite, ses instructions sur la façon d'entrer en contact avec Mme Onassis. Ma leçon suivante était claire comme de l'eau de roche : nous sommes tous pareils. Dans le grand plan de l'univers, nous avons tous un dénominateur commun : la volonté de s'épanouir.

Cette année, à la Journée nationale des survivants du cancer, j'ai célébré quatre ans et demi de rémission en partageant les leçons apprises du cancer avec les autres célébrants. Je pense que mon argument essentiel était le suivant : entre ceux qui voient le cancer comme un défi et ceux qui voient le cancer comme une malédiction, la distinction principale est de savoir si nous nous percevons comme des vainqueurs ou des victimes.

En tant que survivante du cancer, je déclare que les plus importantes leçons apprises dans ma vie m'ont été enseignées par le cancer, un rude professeur. Le cancer m'a montré quelle était la meilleure façon de vivre : faire des choix éclairés, ne jamais fuir les décisions difficiles, m'aimer davantage, chercher le bien n'importe où et trouver le bien partout, garder le sens de l'humour quelle que soit la situation, vivre sa vie à fond, et ne pas oublier que nous sommes tous semblables.

Si j'avais à résumer toutes ces leçons en une seule phrase, je dirais : « Dieu est maintenant ici ! » Comme toute chose significative dans ma vie, la manière dont je la vois dépend toujours de la manière dont je la regarde.

Bernadette C. Randle

Elle n'en est pas moins une étoile de mer

Environ huit semaines après ma première mastectomie, j'acceptai d'accompagner mon mari en voyage d'affaires, au Connecticut et au Rhode Island, pendant le mois de juin, à condition que je prenne le temps de me reposer et que je n'abuse pas de mes forces.

Dans le but d'allier plaisir et travail, mon mari me demanda ce que je voulais faire, maintenant que nous avions la chance d'être dans cette belle partie du pays. Ayant grandi en Arizona, entourée de désert et de sécheresse, j'éprouvais un amour véritable pour l'océan. Je suggérai que nous tentions de nous rendre à Newport Beach, si c'était possible. Pour moi, l'océan a quelque chose de thérapeutique : les vagues, le sable, la marée. J'avais l'impression que la proximité de l'eau me permettrait de me sentir plus en harmonie avec la nature, avec moi-même et avec le processus de guérison.

Armés de notre carte et des indications que nous avait fournies la dame qui nous avait vendu nos boîtes à lunch, nous nous sommes mis en route. Nous fîmes un très beau voyage, qui finit par être plus court que nous ne le pensions.

Nous rassemblâmes nos affaires et partîmes en direction de la plage. J'étais impatiente d'enlever mes sandales et de sentir le sable sous mes pieds. Du haut de la colline où nous nous trouvions, la plage ressemblait à une courtepointe faite de serviettes de plages. Je n'avais jamais vu autant de personnes amassées sur une si petite surface de sable.

Nous nous faufilâmes à travers la foule en direction de l'eau. C'est alors que j'aperçus cette magnifique étoile de mer. Je me demandai, *comment est-ce possible?* Tous ces gens, et personne n'avait encore marché dessus ou même pensé à la ramasser. J'étais excitée comme une enfant. Pour moi, c'était quelque chose de magique : mon cadeau personnel de la mer. C'est alors que je remarquai quelque chose d'unique à propos de cette étoile de mer. Elle portait en elle un message, un message très spécial. En effet, un de ses bras était tordu et recourbé. À ce moment précis, je fus envahie par un état de conscience extraordinaire, un sentiment de révélation, au plus profond de mon être : ce n'était pas parce qu'elle avait un bras tordu que cette étoile de mer cessait d'être une étoile de mer, et ce n'était pas parce que j'avais perdu mes deux seins que je n'étais plus une femme. C'est ce que j'appelai plus tard mon « moment de grâce ». Je réalisai que ce n'était pas un hasard si je m'étais retrouvée sur *cette* plage, *ce* jour-là, à *ce* moment précis.

Cette expérience était tout simplement une réponse à mes prières. À partir de cet instant précis, je sus que j'allais survivre au cancer du sein. De plus, j'avais maintenant un message que je voulais partager avec les autres.

Quels que soient les coups durs, les difficultés, les souffrances, nous sommes capables de les surmonter. Ce sont ces moments d'enfer qui nous contraignent à regarder profondément à l'intérieur de nous-mêmes pour découvrir qui nous sommes en réalité, ce en quoi nous croyons, et ce qui est vraiment important et « vrai » dans notre vie. Nous faisons l'expérience d'une prise de conscience qui nous révèle la profondeur de notre être.

Je garde encore mon étoile de mer sur une table spéciale chez moi. Chaque fois que je passe à côté, je pense à son message. Je suis reconnaissante pour la perspective que le cancer m'a permis d'acquérir, et pour cette relation que j'entretiens aujourd'hui avec cette Puissance supérieure qui continue de me bénir par de petits miracles quotidiens. Je suis surtout reconnaissante pour la certitude que j'ai au fond de mon cœur que, bien que j'aie perdu mes seins, je n'en suis pas moins une femme. Je vaux bien plus que mes infirmités.

Katherine Stephens Gallagher

Nous pouvons voir les maladies comme des « crevaisons » spirituelles, des contrariétés qui ont tout d'une catastrophe sur le moment, mais qui en fin de compte réorientent notre vie de façon constructive.

Bernie S. Siegel, M.D.

Une expérience vraiment enrichissante

J'attendais la voiture, en ce jour nuageux d'été, assise sur mon sac de campeur, mon sac de couchage et mon oreiller. J'étais tout excitée et nerveuse, anxieuse de voir ce que les neuf prochains jours me réservaient.

J'avais décidé de m'engager comme volontaire, pour la première fois, au camp Ronald McDonald for Good Times, un camp pour cancéreux âgés entre sept et dix-huit ans. Ne me doutant pas que ces journées allaient être les plus incroyables de ma vie, je me débattais avec toutes sortes de questions difficiles : Qu'est-ce que je fais s'il y a une urgence avec un campeur? Et si je n'arrive pas à maîtriser mon groupe? Serai-je capable de gérer l'émotion que ce travail me causera?

Je fus soulagée quand je sus que j'allais travailler avec une merveilleuse coéducatrice qui avait déjà travaillé dans ce camp deux fois. Mary Anne et moi devînmes aussitôt amies.

La formation préparatoire terminée, il était temps maintenant de descendre la colline pour aller chercher les enfants. Alors que nous approchions de l'Hôpital pour enfants de Los Angeles, je sentais mon estomac se nouer. Un des éducateurs vétérans du camp a dû sentir mon anxiété, car il me prit dans ses bras pour me réconforter, et me fit un clin d'œil pour raviver ma confiance.

Je décidai de sauter à pieds joints dans cette aventure et commençai à m'amuser avec ces enfants venus de partout entre San Diego et Bakersfield pour oublier leurs problèmes et profiter d'une semaine d'amusement.

Certains des campeurs retrouvaient des amis qu'ils avaient connus lors des camps précédents. D'autres préféraient rester dans la chaleur du cadre familial, dans la situation délicate de désirer s'éloigner un peu de maman, mais ne voyant pas la nécessité de sortir du nid tout de suite.

Je fis un rapide tour d'horizon : quelques enfants avaient été amputés, d'autres étaient en fauteuil roulant, et toute une série de têtes chauves se cachaient sous des chapeaux ou des foulards; mais la plupart des campeurs avaient l'air en aussi bonne santé que n'importe quel autre enfant de leur âge.

Je remarquai aussi un groupe de campeurs expérimentés assis en cercle à chanter. Puisque c'était ma première année, je ne connaissais pas encore les paroles et les gestes de « Super Lizard ». Avec un ballon de football entre les mains, je me dirigeai donc vers un groupe de « Super Lizard? C'est beaucoup trop ringard pour nous! »

« Salut! Je m'appelle Lisa. Ça vous dirait une partie de football? »

Honnêtement, je ne savais pas grand-chose sur l'organisation d'une partie de football, mais j'ai dû paraître bien convaincante, car en moins d'une minute ils me regardaient tous avec des visages souriants. Les campeurs s'amusaient; cette semaine allait être beaucoup trop courte. J'étais au septième ciel. Je m'amusais autant que les campeurs et je prenais plaisir à faire la connaissance de tous les patients, tout en continuant de recruter de nouveaux joueurs.

Les membres du groupe ne prirent pas beaucoup de temps à s'intégrer : les garçons essayaient d'impressionner les filles, tandis que les filles exhibaient leur physique, ou bien se contentaient d'admirer les beaux gars. Une des filles me confia qu'elle savait déjà qui elle voulait inviter (il s'appelait Michael) pour la soirée dansante, laquelle, je tiens à le préciser, n'était prévue que dans plusieurs jours.

Nous chargeâmes toutes nos affaires dans l'autobus; j'avais le sentiment que cette semaine allait être formidable. Une fois arrivés au camp, on nous assigna nos quartiers. Dans le groupe 4, il y avait huit jeunes filles âgées entre 11 et 13 ans, Mary Anne et moi-même. Nous fûmes inséparables pendant toutes les activités de la semaine. Nous avions dix personnalités différentes et nous n'étions pas toutes des anges. Cependant, il y avait quelque chose d'étrangement merveilleux dans le fait d'être confinées dans un espace si réduit, qui ne comprenait que deux miroirs et des campeuses qui se levaient à six heures pour être les premières sous la douche.

Une nuit, lors de la nuit au pavillon du groupe 9 (une nuit où chaque groupe part en promenade à l'extérieur, manger et dormir dans un grand pavillon), alors que nous étions toutes confortablement installées dans nos sacs de couchage, et après que Misty eut fini de prendre ses médicaments pour la nuit, à peine cinq minutes plus tard, le mot redoutable qui commence par la lettre « C » fut prononcé. Je gardai le silence, incertaine de ce qui allait suivre. « Lequel tu as, toi? » Elles échangèrent sur le sujet, puis dans le même souffle : « Quel garçon du camp tu trouves le plus mignon? » Elles avaient ainsi satisfait leur curiosité tout en resserrant le lien qui les unissait. Ces quelques minutes furent très intenses, mais ce ne fut pas long avant que le sujet de conversation préféré des filles de 11 à 13 ans, les garçons entre autres, reprenne le dessus. Il n'en reste pas moins que ces filles étaient incroyablement bien informées, plus fortes et plus sages que beaucoup de personnes ayant le double de leur âge.

En l'espace d'une semaine, j'avais presque complète-ment oublié qu'elles étaient malades. Tous les jours, elles continuaient à se battre contre le cancer, une maladie que l'on associe le plus souvent aux adultes. Le cancer est un sujet difficile, dont on ne peut pas parler à la légère. Ces enfants seront toujours affectés par cette maladie; pour-tant, pendant une semaine par année ils vivent libre-ment, entourés d'espoir, d'encouragement, de soutien et d'amour, avec des enfants exactement comme eux.

La dernière nuit de la semaine, nous eûmes une très belle soirée dansante; l'excitation était dans l'air au 4. Mary Anne et moi finîmes par réussir à calmer suffisam-ment nos petites danseuses afin de pouvoir nous rendre au réfectoire pour une réunion d'équipes. Deux moni-teurs montaient la garde, et nous avions deux heures de répit. On nous informa que notre groupe riait tellement fort qu'il dérangeait tous les autres groupes. Curieuses de savoir si c'était vrai, Mary Anne et moi jetâmes un coup d'œil dehors; tout ce que nous pouvions voir, c'étaient de faibles lueurs qui venaient de partout, sauf du chalet 4, et qui faisaient plutôt penser à un jeu de lampes de poches.

Deux heures plus tard, nous retournâmes au chalet de bonne humeur mais exténuées; la fatigue de la semaine se faisait sentir. En ouvrant la porte, j'entendis Rosa qui criait : « Lisa, aide-moi! » Je la pris immédiate-ment dans mes bras et essayai de savoir ce qui n'allait pas. Elle continuait à pleurer, en essayant de parler entre ses sanglots : « J'ai si mal à l'oreille, je n'ai jamais eu aussi mal! » Mon Dieu, j'avais réussi à passer à travers toute la semaine sans gros problème. Les terribles appré-hensions que j'avais eues en arrivant étaient en train de se réaliser. J'avais tellement peur que quelque chose de vraiment grave arrive et que je ne puisse pas y faire face; quelque chose dont on ne m'avait jamais parlé au cours d'initiation.

Il était deux heures du matin, et ironiquement c'était Rosa qui m'appelait à l'aide aujourd'hui. Tout au long de la semaine, nous nous étions si bien entendues toutes les deux; je m'étais tellement amusée à lui trouver des cavaliers pour cette soirée dansante. Cependant, aujourd'hui, Rosa avait décidé d'être insupportable et s'était montrée très agressive, spécialement envers moi. Je savais que c'était sa manière à elle d'attirer mon attention. Elle continua à me pousser à bout jusqu'à ce que je perde patience, ce qui m'arrive très rarement, et que je quitte la cabane en furie. Elle me blessa vraiment, surtout parce qu'elle avait réussi à obtenir le meilleur de moi, les jours précédents.

Maintenant, Rosa était dans mes bras, pleurant hystériquement pour que je lui vienne en aide. J'avais si peur que quelque chose lui arrive. Quant aux autres filles, elles étaient si fatiguées qu'elles ne firent que se tourner dans leur lit avant de se rendormir malgré toute cette agitation, tandis que Mary Anne et moi habillions Rosa pour l'emmener voir le médecin du camp. Je la tenais dans mes bras, en lui répétant que tout irait bien, m'encourageant moi-même dans la foulée.

Nous réveillâmes l'infirmière de garde pour qu'elle examine notre patiente terrifiée. En fin de compte, il s'agissait tout simplement d'un bon mal d'oreille. Inutile de vous dire à quel point nous en étions reconnaissantes.

Très souvent, lorsque j'ai à faire face à des épreuves, je repense à ces enfants formidables, dotés d'une connaissance et d'une maturité au-delà de leur âge. À côté des leurs, mes problèmes paraissent bien insignifiants.

En tant qu'enseignante qui donne des leçons presque quotidiennement, je considère que ces neuf jours m'ont enseigné des choses fondamentales sur l'importance de la vie. Ces campeurs optimistes, qui n'avaient peur de rien, m'ont montré la valeur de la vie, me faisant comprendre que chaque journée est un cadeau à vivre pleinement, parce que personne ne sait ce que le lendemain apportera. Cette expérience m'a permis d'apprendre sur le terrain l'importance de se dépenser pour les autres, recevant ainsi beaucoup plus que l'on a donné. Je vous remercie de tout cœur pour ces importantes leçons de vie.

Lisa McKeehan

Le cancer me présenta
à moi-même

Celui qui se connaît lui-même acquiert le trésor de l'esprit.

Claude M. Bristol

Trois jours d'attente pour des résultats qu'au plus profond de moi je connaissais déjà. Trois jours couchée sur le sofa à regarder les programmes défiler à la télévision, heure après heure. Le téléphone se met à sonner. On va m'enlever mon sein lundi. Je suis enceinte de treize semaines. J'ai 33 ans.

On fait l'opération. C'était pas des blagues. J'ai une cicatrice de 30 cm de long sur le côté droit; plus de ganglions lymphatiques, plus de sein. Il y a 12 autres tumeurs dans mes ganglions.

J'ai trois possibilités : soit l'avortement, soit une césarienne ou un accouchement provoqué à environ 30 semaines, soit un accouchement à terme. Mon cancer est positif aux hormones, et mon corps grouille d'hormones. Je ne pourrai suivre aucun des traitements habituels contre le cancer si je décide de garder le bébé. Même en choisissant l'avortement et en suivant des traitements, mes chances ne sont que de une sur six de survivre encore cinq ans.

Je choisis finalement l'accouchement provoqué; non pas pour sauver le bébé, mais pour sortir de l'hôpital afin qu'on ne me fasse rien d'autre. On retire deux longs tubes de succion de mon côté droit, puis je rentre à la maison. C'est le mois de janvier au Minnesota, aussi gelé qu'on peut l'être, si, bien sûr, vous n'êtes pas enceinte et n'avez pas le cancer.

Quand vous êtes une bombe à retardement humaine, il vous semble qu'il y a bien plus que cinq mois qui séparent janvier de mai. De jour en jour, mon bébé grandit, et de plus en plus ces dangereuses hormones envahissent mon corps. Il y a peu d'espoir que ma grossesse arrive à terme sans que le cancer n'ait continué à se répandre. Je me sens tellement engourdie, tellement en colère et tellement, tellement triste que mon visage est figé dans un masque sans expression. Je ne suis plus capable de lire (une de mes plus grandes joies) parce que ma concentration est complètement détruite. Je suppose que je ne serai pas là pour le huitième anniversaire de ma fille, le 30 juin 1978. J'achète tous ses cadeaux et je les emballe en février. Je prépare mes funérailles.

En moi, il y avait deux personnes différentes; toutes les deux se battant de toutes leurs forces pour avoir le dessus. L'une écoutait ce que disaient les médecins et réagissait comme je viens tout juste de le décrire, tandis que l'autre lançait des obscénités chaque fois qu'elle passait devant l'hôpital en voiture. Cette deuxième personne décida de se battre, bien que la première tentait de la convaincre de tout laisser tomber et de s'avouer vaincue, jour après jour, et parfois heure après heure.

Physiquement, la mastectomie ne me faisait pas énormément souffrir. Ma poitrine, le haut de mon bras et mon dos étaient engourdis, mais je me rétablis rapidement, sans qu'il y ait de complications. Par contre, mon bras me faisait mal depuis le début; quelquefois il me faisait tellement mal que je passais des jours sans pouvoir le déplier. Malheureusement, il s'agissait de mon bras droit, celui que j'utilisais pour racler ma guitare. Mais cela n'avait

pas vraiment d'importance, puisque je n'étais plus suffisamment heureuse pour chanter de toute façon.

Après ma sortie de l'hôpital, j'essayai de porter attention à ce qui se passait à l'intérieur de moi. Je voulais que
mon corps et mon esprit me disent ce que je devais faire
pour les aider à survivre. Je reçus quelques réponses et
essayai de les suivre, même quand j'étais trop déprimée
pour bouger ou m'intéresser à quoi que ce soit. Mon corps
me disait de boire du jus d'orange; une drôle d'envie que
je n'avais jamais eue auparavant. Donc, je bus et je bus,
et je sentis que c'était bien. Je faisais vraiment attention
à ce que je mangeais et buvais. Je disais à la nourriture
de me fortifier. Je disais à chaque vitamine que j'avalais
d'aller aux bons endroits pour faire ce qu'elles avaient à
faire, car elles étaient les seuls médicaments que j'avais
pour me battre contre le cancer.

Mon corps me dit : « Bouge Lois, et fais vite! » Une
demi-heure après mon retour de l'hôpital, je sortis pour
marcher. Ce fut difficile. J'avais peur de tomber sur le
côté. J'étais toute courbée comme une vieille femme, mais
mes jambes étaient solides. J'achetai un podomètre et me
mis à marcher des kilomètres et des kilomètres. Quand
vint le printemps, je marchais, courais, marchais et courais jusqu'à ce que le bébé ne devienne trop lourd.

En faisant de l'exercice, je disais à mon corps que je
l'aimais et que je voulais qu'il soit en santé. Je recommen-
çai mes exercices de yoga la semaine de mon retour de
l'hôpital. Au début, je ne pouvais soulever mon bras que
d'une dizaine de centimètres; mais je continuais à le tendre, encore et encore. Je sortis mes poids d'un kilo pour
muscler mon bras et faire travailler mes tendons, même
s'ils protestaient douloureusement. Mon bras se raffer-
mit rapidement et j'ai maintenant retrouvé toute ma
mobilité et ma force. Dans *Reach to Recovery* [Atteindre

la guérison], il est dit : « Faites marcher vos doigts lentement vers le haut de la porte ». Et moi, j'ajoute : « Accrochez-vous à la porte et faites des tractions, si vous en êtes capables. »

Mon esprit et mon corps me dirent de faire l'amour, et ils avaient raison. Faire l'amour (et d'autres formes d'exercices) me donnèrent les seuls moments pendant lesquels j'étais libre, les seuls moments où j'étais de nouveau moi-même, les seuls moments où je n'avais pas le cancer.

Mon esprit me dit qu'il avait besoin de paix, qu'il avait besoin de se reposer tous les jours de cette tension oppressante. « Repose-moi! », disait-il. Je n'avais encore jamais fait de méditation, j'allai donc à la bibliothèque et découvris les techniques qui fonctionnaient bien pour moi. Je faisais des exercices de méditation. La méditation détendait mon corps et le sortait de cette veille agitée pour le faire reposer dans un doux berceau, profond et sombre, inondé d'une paix rafraîchissante. Je ne vivais littéralement que pour ces moments-là.

La méditation me donna aussi l'occasion de pratiquer la médecine sans permis. Je disais à mon corps d'aller bien. Je disais à mon système immunitaire de me protéger. Je visualisais mon cerveau, mes os, mon foie et mes poumons tous les soirs. Je les sentais et leur disais de se libérer du cancer. Je regardais mon sang qui coulait avec vigueur. Je disais à la plaie de guérir rapidement, et à la peau autour de rester propre. Je disais à mon autre sein de se protéger, car il était le seul qu'il nous restait, à mon mari et à moi. Tous les soirs, je continue de dire à mon esprit et à mon corps : « Repousse le cancer! Rejette le cancer! »

Les médecins fouinèrent partout, regardèrent mes rayons X, puis me relâchèrent dans la nature. Je survis jusqu'au printemps, au mois de mai.

La dernière semaine de mai, ils procèdent à une provocation du travail. Cela dure 10 heures, c'est très douloureux et ça ne mène à rien. Eux, ceux qui ne sont pas dans le lit, veulent essayer de nouveau le lendemain. Moi et le bébé voulons rentrer à la maison. Nous partons et je me dis que ce ne sont pas trois ou quatre semaines de plus qui vont me tuer. J'étais très heureuse d'être arrivée à terme; je pouvais donc accoucher avec des sages-femmes. Peut-être que la naissance sera belle, même si la grossesse fut infernale.

Ma camarade de chambre à l'université a accouché le 13 juin, et je pense que pour moi aussi c'est le temps. Je commence à perdre le liquide amniotique et on m'emmène dans une jolie chambre avec des plantes et un grand lit double. La sage-femme est vraiment très gentille. Les contractions se rapprochent et deviennent de plus en plus fortes, et je commence à perdre cette peur que toutes les femmes connaissent. Je me débrouille très bien. Je pense que je vais apprécier ce moment.

Elle perce le sac; moi et le lit sommes trempés. Elle dit que je suis à six centimètres, mais je vois son visage changer d'expression. Le cordon sort avant le bébé, cela pourrait être fatal, vite. Elle tient la tête du bébé loin du cordon, elle le pousse vers le haut alors que je le pousse vers le bas; maintenant, je sais ce que le mot agonie veut dire. Alors que l'on m'emmène d'urgence en salle d'opération, je les entends dire que le pouls du bébé est à 60.

Peut-être qu'une césarienne aurait été une bonne idée en fin de compte. On passe une autre heure à m'examiner les entrailles, mais on ne trouve rien d'autre que des entrailles. C'est ce que me dit mon mari, et je me sens extrêmement soulagée.

C'est un beau garçon qui pèse 3,8 kg et mesure 45 cm. Il s'appelle Nathan Scott, il est très mignon, il a des cheveux bruns et de longs cils foncés — mais il a aussi une large communication interventriculaire, mieux connue sous le nom de souffle au cœur. Il s'agit d'une anomalie congénitale, et c'est très grave. Il va sûrement falloir l'opérer, et sa vie sera mise en danger. Le pire dans tout ça, j'aurai à me rendre à l'hôpital très souvent, ce que je déteste. Ces visites m'épuisent et me dépriment pour plusieurs jours. Ça veut aussi dire qu'on va ouvrir mon bébé, comme on m'a ouverte moi, pour son propre bien.

Il se pourrait que Nathan ait une insuffisance cardiaque globale au cours des six premiers mois de sa vie. Il prend de la digitaline deux fois par jour. Il transpire quand il mange. Sa petite poitrine maigrichonne monte et descend beaucoup trop rapidement, son foie et son cœur sont hypertrophiés. Il rentre à l'hôpital pour quelque temps. Je reste avec lui, mais je viens près de craquer. Ses chances de guérison, qui étaient de 50 % au début, ne sont maintenant plus que de 25 %.

Mais voilà qu'au cours de son septième mois, sa santé s'améliore. (J'aime penser que c'est à ce moment-là que j'avais l'habitude de murmurer dans sa petite oreille : « Nathan, tu *vas* aller mieux. »)

Les médecins sont étonnés. Son électrocardiogramme est meilleur. Il prend du poids. Sa respiration ralentit, et le liquide qui gonfle son foie se résorbe.

En mai 1979, Nate a son premier électrocardiogramme normal, un événement encore plus important que son premier anniversaire. Le muscle s'est refermé autour du trou. Nathan arrive à se mettre debout maintenant; je commence à croire qu'il a une chance de rester en vie.

Lorsque mon ventre est redevenu plat, j'eus une désagréable surprise. C'était vrai que je n'avais plus de sein du côté droit. C'était le temps où la plupart des nouvelles mamans aiment remettre leurs anciens vêtements, ou s'en acheter de nouveaux, ou bien rêvent d'un maillot de bain deux pièces. Mes vêtements amples m'avaient protégée pendant six mois. Mais maintenant, il était temps pour moi de faire face à mes vrais sentiments concernant mon corps, une lutte de plus à rajouter à tout le reste.

Décrire ce que je ressentais comme une dépression serait beaucoup trop loin de la réalité. Mais je continuai de me forcer à me concentrer sur les aspects positifs dans ma vie. Pendant sept mois, je ne perdis pas le poids que j'avais en surplus après ma grossesse, mais lorsque Nathan commença à aller mieux, je ressentis un nouvel élan de détermination.

Je perdis presque 10 kilos. Je continuai à méditer et à prendre toutes mes vitamines. Trois mois après l'accouchement, je repris mes séances d'exercices. Maintenant, je n'avais plus besoin de marcher, je pouvais courir. Je courais tellement vite que j'envisageais même de participer à des courses. Mon programme d'exercices consistait à faire du yoga, à courir et à faire de la bicyclette. J'en fais tous les jours. Il le faut. Je suis persuadée que ces exercices m'aident à survivre.

J'ai retrouvé mon physique, avec des vêtements sur le dos bien sûr. Je commence même à trouver que je n'ai plus tellement l'air si grotesque que ça sans vêtements du tout. La cicatrice laissée par la césarienne n'a pas vraiment aidé à améliorer mon apparence, mais mon mari est aveugle quand il regarde mes cicatrices, et je commence à voir avec ses yeux à lui.

Je m'efforçai de penser à *moi* en premier. Ce que je fis a réussi, et chaque jour en bonne santé confirme l'idée selon laquelle « l'esprit est plus fort que la matière ».

Je pense au cancer tous les jours, mais je pense aussi à quel point mon corps est fort et à quel point il se porte bien, la plupart du temps. Je continue de parler à mon corps. Je sens, comme jamais auparavant, que mon corps, mon esprit et probablement mon âme ne font qu'un. Le cancer me présenta à moi-même, et j'aime la personne que j'ai rencontrée.

Lois Becker

Pensées pour l'année

Le plus grave des handicaps : la peur.

Le plus beau des jours : aujourd'hui.

La plus facile des choses à faire : critiquer.

Le plus inutile des atouts : la fierté.

La plus grande des erreurs : abandonner.

La plus grande des pierres d'achoppement : l'égotisme.

La plus grande des satisfactions : un travail bien fait.

La plus désagréable des personnes : celle qui se plaint.

La plus grande des faillites : perdre son enthousiasme.

Le plus grand des besoins : le bon sens.

Le plus mesquin des sentiments : la jalousie face
au succès d'un autre.

Le plus beau des cadeaux : le pardon.

Le plus grand des moments : la mort.

La plus grande des connaissances : Dieu.

La plus importante des choses en ce monde : l'amour.

Source inconnue

Ma résolution
(pour aujourd'hui, du moins)

19 août 1991

Voici ce que j'ai décidé :

J'en ai assez des personnes qui me disent que je suis chanceuse.

Je ne me sens pas du tout chanceuse.

Je sais que je vais survivre. Je suis une personne forte. Je sais que mon verre est à moitié plein, mais s'il vous plaît ne me dites pas qu'il est plein; j'en ai bu quelques gorgées et j'en ai renversé un peu.

Je ne serai pas vaincue et je continuerai à me battre, mais j'ai le droit de dire que je suis fatiguée. Même les personnes qui gagnent sont fatiguées.

J'ai beaucoup de choses à faire, et je prévois en faire autant que possible. Mais d'abord, si j'ai envie de pleurer, je pleurerai, et ce ne sera pas grave du tout.

Dieu m'a aidée à traverser beaucoup d'épreuves, et je sais qu'il me donnera la force nécessaire pour surmonter ceci.

Je ne permettrai à personne de me dire que je n'ai qu'à m'acheter une perruque, et que de toute façon mes cheveux repousseront. C'est quelque chose de très pénible pour moi, et c'est à moi de m'en occuper. Certains problèmes sont plus graves que d'autres, mais pour moi, celui-ci en est un gros.

Je vais me battre — et gagner.

Je vais travailler pour devenir plus forte, mais je n'aimerai pas cela!

Nous sommes faits pour vivre notre vie et nous nous plaindrons le moins possible. Nous avons tous quelque chose qui ne va pas, mais au moins j'ai des personnes autour de moi qui se soucient.

C'est comme un coup dans l'estomac — ça vous empêche de respirer, ça vous fait mal, mais vous finissez toujours par vous relever.

Je chérirai plus la vie. J'ai la chance d'avoir trois beaux enfants, une famille, des amis qui m'aiment et qui sont plus que prêts à m'aider. Je vais apprendre à accepter de l'aide avec reconnaissance. Je vais apprendre que ce geste d'amour qui consiste à se tenir la main exige que la main d'une personne soit doucement dans celle de l'autre. Je vais apprendre à mettre volontiers ma main dans celle qu'on me tend et je n'oublierai pas de tendre la mienne vers les autres.

Je prierai tous les jours pour obtenir la force. Je ne serai ni amère ni une martyre.

Je serai forte.

Je vais rire.

Je vais pleurer.

Je vais gagner.

Paula (Bachleda) Koskey

Mes réalisations (jusqu'à ce jour)

19 mai 1992

Quand tout ceci a commencé, je me suis dit que j'allais, d'une manière ou d'une autre, ressortir plus sage et plus forte de cette expérience. Mais ce n'est pas du tout ce que je ressens en ce moment. Je me sens tout simplement reconnaissante d'être encore vivante. Cependant, je ne peux pas laisser passer un événement aussi dérangeant sans y réfléchir. Voici quelques-unes des choses qui me viennent à l'esprit :

Vivre une seule journée peut sembler plus long que de songer à ce qui s'est passé au cours des neuf derniers mois. Et une heure de chimio, c'est la plus grande unité de mesure du temps.

Je ris de la naïveté de la résolution que j'ai prise au mois d'août, mais je la respecte. L'intensité de certains sentiments ou de certaines expériences ne peut être anticipée, mais beaucoup peut être accompli simplement en s'accrochant bien fort.

Le cancer, ce n'est pas comme recevoir un coup de poing dans le ventre. C'est une grande bataille qui affecte chaque partie d'un être humain. J'ignorais à quel point cette bataille pouvait être écrasante.

J'ai essayé de compenser la perte de contrôle sur ma vie en acquérant des connaissances; ça m'a vraiment aidée.

Quelquefois, l'ignorance est une béatitude.

C'est toute une histoire que d'être trop maigre. Maintenant j'aimerais essayer d'être trop riche!

J'adore mes cheveux! Pouvoir me frotter la tête sans que mes cheveux tombent, c'est vraiment merveilleux!

Vaut mieux donner que recevoir, et c'est tellement plus facile!

Autant cela me faisait enrager au début, autant je suis reconnaissante aujourd'hui que mon oncologue ait été aussi déterminé à vaincre cette maladie.

C'est vrai que j'ai une forte volonté. (Pourquoi suis-je la seule qui soit étonnée de cette réalisation? Que voulez-vous dire par têtue?)

Le rire, les câlins et le chocolat, c'est ça la vraie vie.

Autant les médicaments ont guéri mon corps, autant les gens qui étaient prêts à m'écouter ont guéri mon âme.

Je suis encore contente de n'avoir jamais perdu de temps à m'apitoyer sur mon sort; les choses qui doivent arriver arrivent, un point c'est tout.

Je suis follement amoureuse de tout un tas de personnes.

Mes enfants sont vraiment incroyables! Ce combat fut vraiment très difficile pour eux, mais je suis convaincue que, malgré les cicatrices, ils en ressortiront plus forts qu'ils ne l'étaient.

Je ne suis ni stoïque, ni forte, ni sainte.

Je suis heureuse, adorable et j'ai des cheveux!

Ce n'est pas une mauvaise chose que de se plaindre, en autant qu'on n'oublie pas les bonnes choses.

Parfois, gagner n'est pas ce qu'on pense. Parfois, le plus important, c'est la compréhension que l'on acquiert de cette bataille. Et parfois, cette victoire consiste simplement en un amour plus profond de ceux qui ont partagé le combat.

Je me suis battue.

J'ai ri.

J'ai pleuré.

J'ai gagné.

Paula (Bachleda) Koskey

Papa, le cancer et le mariage

Une série d'événements inattendus ont sauvé la vie de mon père.

Environ six semaines avant mon mariage, ma mère et moi étions au centre d'une discussion animée à propos de la couleur de ma robe de mariée. Maman voulait qu'elle soit blanche, tandis que moi je voulais qu'elle soit beige.

Nous étions à nos places habituelles — dans la cuisine. Maman était assise à la table; j'étais assise sur le plancher, les jambes croisées, adossée au réfrigérateur.

Alors que nous parlions, mon père entra dans la cuisine. Il venait de prendre sa douche, et portait un peignoir. D'où j'étais assise, je pus remarquer qu'il avait une tache noire, d'environ la taille d'un dix cents, à l'arrière du mollet gauche, juste en dessous du genou.

Je lui demandai depuis quand il avait cette tache foncée et proéminente. Il répondit qu'il ignorait depuis quand. Maman me dit qu'il l'appelait son grain de beauté.

Je dis à papa qu'il devait faire examiner cette tache. Je lui parlai de Mel, qui présentait les nouvelles du soir avec moi, quand j'habitais dans le Michigan. Sa femme avait remarqué une tache noire à l'arrière de son épaule. En fait, il s'agissait d'un mélanome : le cancer de la peau. Mais on l'avait découvert à temps. Autrement, le cancer se serait répandu très rapidement, car la tache était située très près de ses ganglions lymphatiques.

Papa nous promit qu'il allait faire examiner la tache, puis maman et moi reprîmes notre discussion sur les robes de mariée.

Après ma visite chez papa et maman, je repartis pour Boston où je travaillais comme journaliste sur la consommation pour WNAC-TV. Un jour, papa m'appela pour me dire qu'il s'était fait examiner par un spécialiste; il était certain que tout allait bien. En fait, il avait prévu faire un voyage d'affaires à Boston dans environ deux semaines.

Quand mes parents rappelèrent, c'était pour me dire que papa ne viendrait pas à Boston. Cette affreuse tache était bel et bien un mélanome. Les médecins nous expliquèrent qu'il y avait cinq stades de mélanome. Le mélanome de papa en était au niveau trois. Il allait devoir subir une intervention pour essayer de combattre cette maladie.

Je retournai chez mes parents pour l'opération de papa. Les médecins firent tout en leur possible pour enlever le cancer. Les minutes nous semblèrent des heures, les heures des jours et les jours des semaines, alors que nous attendions les résultats pour savoir si, oui ou non, ils avaient pu enlever toute trace de cancer.

Nous savions qu'un mélanome de niveau trois pouvait se répandre comme un feu de forêt. Ce n'était pas un bon signe. Nous comptions les jours en attendant les résultats. Ils arrivèrent enfin, après cinq jours. Le cancer avait été diagnostiqué à temps!

Papa eut de la difficulté à marcher après son opération, qui eut lieu trois semaines avant mon mariage. Il disait que maintenant son but principal dans la vie était de pouvoir conduire sa petite fille à l'autel. Sa jambe ne pouvait tout simplement pas supporter le poids de son corps. Au mariage, papa nous attendit, maman et moi, à mi-chemin de l'autel dans son fauteuil roulant. Maman et moi soutenions papa alors qu'il avançait à pas hésitants. Arrivés devant l'autel, un ami attendait papa avec son fauteuil roulant. Papa avait atteint son but — il m'avait conduite jusqu'à l'autel.

Depuis 1981, papa n'a eu aucune trace de cancer. Il se fait examiner une fois par année. Il est encore plein d'énergie et en bonne santé.

J'ai toujours été fermement convaincue que maman et moi devions avoir cette conversation animée mentionnée plus tôt. C'est ce qui me permit de remarquer le mélanome de papa et permit aux médecins d'arrêter le cancer à temps. Tout ceci est arrivé parce que je voulais absolument me marier dans une robe beige, qui, d'ailleurs, paraissait blanche sur toutes les photos.

Linda Blackman

L'humour, ça aide

Je me suis toujours fixé des limites personnelles entre ce qui est drôle et ce qui ne l'est pas. J'avais l'habitude de dire qu'il y avait des choses dont on ne rit pas. Je me trompais, car le rire s'élève au-dessus de la tragédie, quand vous en avez le plus besoin, et vous récompense pour votre courage.

Sans le rire, il aurait été impossible d'imaginer comment tous ces enfants et leur famille ont été capables de supporter leur lourd fardeau.

Moi-même, si parfaite, ne me suis-je pas tordue de rire quand Jessica, âgée de 15 ans, originaire de Burlington dans le Vermont, amputée sous le genou, envoya voler sa prothèse dans les airs en même temps que le ballon lors d'une partie de soccer?

Quelquefois, la situation nécessite qu'on la regarde avec une certaine perspective. Ryan avait été opéré et avait suivi des traitements de radiothérapie pour une neuroblastome à l'âge de trois ans. Onze années après, il était en bonne santé, mis à part un petit problème : il n'y avait qu'un seul côté de son corps qui transpirait et qui rougissait. Il était peut-être vrai que Ryan utilisait moins de déodorant que les autres, mais son sens de l'humour était demeuré intact.

Quant à Betsy, originaire de Boston, Massachusetts, elle avait l'habitude de dire que l'optimisme et l'humour furent ses gardiens tout au long de sa lutte contre le cancer. Ce qui lui permit de ne pas prendre l'incident suivant trop au sérieux.

Alors que la jeune fille de 17 ans entrait dans la salle de traitement pour sa séance de radiothérapie, elle vit que plusieurs personnes étaient déjà arrivées. Elle enleva donc sa robe pour se préparer au traitement. Voilà qu'en s'informant, elle découvrit que toutes ces personnes n'étaient pas des étudiants en médecine, mais des peintres qui étaient là pour estimer à combien s'élèveraient les frais pour repeindre la salle!

Il est à noter que cet incident se déroula en 1965. Betsy trouva dommage qu'il n'y ait pas eu d'organisations ou d'opportunités, il y a 34 ans, pour lui permettre de partager ses « expériences personnelles » plutôt que ses souvenirs.

Erma Bombeck

NOTE DE L'ÉDITEUR : Erma Bombeck est décédée le 22 avril 1996, à la suite de complications survenues lors d'une greffe du rein. Son courage et sa force illustrent l'esprit de ce livre. Nous pleurons son décès de tout cœur.

Survivre au cancer

On dirait que c'est hier que mon médecin m'a dit que j'avais le cancer, et quand je lui ai demandé : « Combien de temps me reste-t-il à vivre? » il n'avait pas pu me répondre.

Le temps s'était arrêté, et toute la pièce tournait. La vie s'arrêtait tout simplement; je le fixais, et je n'entendais rien.

Mille ans se déroulèrent devant mes yeux lorsque je songeai à tout ce que j'allais manquer; aux rires et aux sourires de ceux que j'aime; aux baisers de ma fille de deux ans.

Je me rendis compte à ce moment-là de tout le temps que j'avais gaspillé; de toutes les choses que je n'avais jamais faites et de toute la vie que je n'avais pas encore goûtée.

Je pensai à toutes les choses insignifiantes qui remplissaient nos journées, comme la dispute idiote d'hier soir à propos des factures à payer.

Vingt années sont passées, et je suis toujours là. Je pense que Dieu a tout simplement changé d'avis, et a décidé de me donner une deuxième chance.

Cette journée-là, j'ai fait la promesse de laisser aller le passé, de vivre ma vie et d'aimer chaque journée comme si elle était ma dernière.

Car il n'y a que Dieu qui sait le jour et l'heure. Mais aujourd'hui, je suis encore vivante et le monde entier m'appartient.

Jill Warren

Reproduit avec la permission de Pete Mueller.

Trouver ma passion

Il y a, dans la pire des destinés, la meilleure des chances d'un heureux changement.

Euripides

Je connais beaucoup concernant la passion, car dans le processus de la vie, je l'ai perdue, mais dans le processus de la mort, je l'ai retrouvée.

Ma vie se résumait à trois choses : faire plaisir, faire mes preuves et réussir. Je croyais que si assez de personnes m'aimaient, je me sentirais bien dans ma peau. Je voulais désespérément plaire à tout le monde... : ma famille, mes employeurs, mes voisins, même aux personnes que je n'aimais pas. Peu importe qui ils étaient, l'approbation et l'assentiment des autres était le fondement même de ma propre estime. « Bien paraître » était ma préoccupation quotidienne, et j'étais vraiment douée pour ça! Je recherchais toujours à accomplir des choses de plus en plus grandes dans le but de prouver aux autres ma valeur.

Cette façon de voir les choses influençait toute ma manière de vivre. Je travaillais de longues heures à essayer de prouver mon dévouement et à faire en sorte de ne jamais offenser qui que ce soit. Je faisais d'incroyables promesses, presque impossibles à tenir, parce que j'avais peur de dire non, ce qui ne faisait qu'accroître mon degré de stress. En réagissant toujours aux circonstances extérieures au lieu de prendre ma vie en main, je me sentais comme une victime, et je vivais dans la peur qu'« ils » — qui que ce soit — découvrent soudainement que j'étais incompétente.

Le fait que je sois la plus jeune femme de l'entreprise à occuper un poste de direction, et que j'aie été nommée directrice des communications alors que j'étais encore dans la vingtaine n'a en rien calmé mon anxiété. Il n'y avait vraiment rien à faire pour augmenter ma confiance en moi.

La seule solution que je connaissais était d'essayer plus fort, de travailler plus longtemps, d'accomplir plus. Je savais seulement que je ne serais heureuse qu'en faisant ce que j'avais à faire.

Je quittai le monde des entreprises en sachant que travailler à mon compte ferait toute la différence. L'ironie du sort fit que je devins conseillère en carrières et que j'enseignais aux gens la façon de bien paraître et de savoir ce que les autres attendaient d'eux. J'étais une experte en la matière.

Mais je continuais quand même à essayer de plaire à tout le monde en ne chargeant jamais très cher, de peur que personne ne fasse appel à mes services. Au lieu d'agir en fonction des exigences d'un patron, j'agissais en fonction des exigences de mes clients. Je ne comprenais pas pourquoi je devais lutter financièrement, mais je finis par me dire que c'était simplement pour faire plus d'argent.

Ce rythme ne fit que s'accélérer lorsque je décidai d'accroître encore plus mes efforts en matière de marketing et de promotion. Lorsque l'épuisement professionnel finit par frapper et que je ne vis aucune amélioration de ma situation financière, je me rendis compte qu'il y avait quelque chose qui n'allait pas en moi. Je décidai donc de faire quelque chose pour y remédier. Je suivis des cours, je perdis du poids, je m'inscrivis à des groupes de croissance personnelle. Mais je me sentais toujours aussi vide.

Alors ma vie continua ainsi... faire plaisir, faire mes preuves et réussir. Où cela m'a-t-il menée? Je n'avais plus un sou en poche, j'étais épuisée, émotionnellement affaiblie et, surtout, complètement terrorisée.

C'est en 1986 que je me suis finalement ouvert les yeux. J'ai découvert que j'avais le cancer de la vessie et le pronostic semblait plutôt sinistre, vu que les symptômes remontaient déjà à trois ans.

On ne peut pas dire que mon médecin était très encourageant; en fait, il était vraiment démoralisant. Au cours de la première intervention, il enleva « la plus grosse tumeur qu'il avait jamais vue sur une vessie », et m'annonça qu'il allait procéder à une autre intervention dans environ 10 à 12 semaines pour voir « ce qu'il restait ». Quel type amusant.

Le cancer changea pour toujours ma façon de vivre. Je décidai de vivre, ce qui impliquait un certain nombre d'ajustements. Je fus immédiatement en mesure de distinguer ce qui était vraiment important de ce qui ne l'était pas, et je commençai à me concentrer sur ma guérison. Je changeai mes habitudes alimentaires, découvris des herbes, explorai la médecine holistique et appris ce que voulait dire prendre soin de soi.

Je commençai à me poser les questions suivantes : Qui suis-je vraiment? Et pourquoi suis-je sur cette terre? Auparavant, ma préoccupation première était : Qu'est-ce que les autres attendent de moi? Qu'est-ce que je pourrais faire pour leur faire plaisir? D'une attitude centrée sur les attentes changeantes de mon entourage, je passai à une attitude centrée sur ce qui était dans mon cœur. Ce fut plutôt difficile, puisque toute ma vie j'avais cherché des réponses à l'extérieur. J'étais tellement habituée à me casser la tête pour découvrir ce que les autres voulaient de moi, que je n'avais aucune idée de qui j'étais vraiment.

Je me rendis compte que la passion ne faisait pas du tout partie de ma vie... ce goût de vivre, cette joie, cette créativité et cette spontanéité, tout ce qui remplit une vie. Maintenant, face à la mort possible, je réalisai que je n'avais jamais vraiment vécu. En fait, ma vie avait été « sans vie ». Cette prise de conscience me fit choisir la passion comme raison de vivre. Je m'y consacrai entièrement.

Non, je n'avais aucune idée de ce que cela voulait dire, mais je me réveillais chaque matin avec comme but de faire quelque chose de passionnant pendant la journée. Je me promenai sur la plage, je découvris que j'aimais les montagnes russes, je pris des cours amusants qui n'allaient pas faire de moi quelqu'un de plus performant, et je lus des livres que je voulais lire depuis des années.

Je me fis une liste des choses que je voulais faire avant de mourir (quelle que soit l'échéance); et au fur et à mesure que je les accomplissais, la liste s'allongeait. L'enthousiasme, l'excitation et l'accomplissement étaient des fins en soi. Je voulais vivre et ressentir pleinement chaque moment qu'il me restait à vivre. Je n'avais plus le temps d'attendre.

J'avais plus d'espoir et je me sentais plus positive. J'avais besoin de moins d'énergie pour obtenir de bien meilleurs résultats. Je me donnais la permission d'être incertaine face au déroulement de mon avenir. Je continuais tout simplement à explorer et à exprimer ma passion au jour le jour.

Aujourd'hui, je peux dire que la force de cet engagement a fait des miracles.

À ce moment-là, je n'avais plus mon entreprise, je n'avais pas de revenus et personne n'était intéressé à engager une malade en phase terminale. Quelques-uns de mes clients m'appelèrent pour me demander si je ne pourrais pas faire mon travail de conseillère en carrières chez moi. Dieu sait que je n'avais vraiment rien d'autre à faire, alors j'acceptai, mais mon travail prit un nouveau tournant. Je me mis à parler du cancer et de l'engagement que j'avais pris de vivre une vie passionnée; je pensais que c'était peut-être ce qu'ils voulaient eux aussi. En effet, plusieurs désiraient en entendre plus et j'ai commencé à animer des groupes.

Après une année de travail dans mon salon, je pus me rendre compte que j'avais vu plus de gens et que j'avais beaucoup plus d'argent qu'au cours d'une année de travail habituelle. Après tant d'années d'efforts et de travail acharné, c'était si simple. Quelle découverte! Je savais que j'étais tombée sur quelque chose qui pourrait fonctionner pour quiconque voulait s'y consacrer.

L'autre très important miracle est que je n'ai eu aucune trace de cancer depuis 1987. Mon médecin n'en revient pas. Lors de mes examens annuels, il me dit toujours à quel point je me suis bien rétablie. Apparemment, il ne reste même pas de trace de l'opération. Est-ce le résultat de mon engagement envers la passion? En fait, je suis incapable de vous le prouver, bien que je n'aie aucun doute là-dessus.

Je crois que la passion est la plus grande force qui existe dans l'univers et elle favorise le bien-être de tous en attirant le bonheur, le pouvoir, la joie, l'abondance et la santé. Savez-vous à quel point cela peut être exaltant de se retrouver dans un groupe de personnes passionnées? Il en émane une énergie euphorique. Cela produit de l'endorphine dans le cerveau, comme lorsqu'on fait de la course à pied. L'endorphine active et protège le système immunitaire. Le cancer est une maladie du système immunitaire, alors pourquoi la passion ne pourrait-elle pas le guérir?

Le processus vers la mort me révéla la valeur de la vie. Aujourd'hui, je fais de mon mieux pour vivre pleinement. C'est devenu mon moyen de subsistance. J'ai créé une organisation, *The Career Clinic* [La clinique de la carrière], qui a permis d'aider beaucoup plus de mille personnes à guérir leur relation avec leur carrière, en les aidant à découvrir leurs passions et leur but dans la vie. La passion, ce n'est pas uniquement pour ceux qui ont de la chance ou du talent; il s'agit d'un feu qui attend d'être allumé dans chaque âme.

À travers le cancer, j'ai reçu le cadeau de la vie. J'ai maintenant la chance de la partager en parlant et en enseignant. Ce que je fais avec reconnaissance et beaucoup de joie.

Mary Lyn Miller

La meilleure chose qui me soit jamais arrivée

Le bonheur ne dépend pas de ce qui nous arrive, mais de notre façon de percevoir ce qui nous arrive. Le truc, c'est de trouver un côté positif à tout ce qui semble négatif, et de voir chaque épreuve comme un défi. Si nous pouvions seulement arrêter de souhaiter ce que nous n'avons pas et apprécier ce que nous avons déjà, notre vie serait plus riche, plus remplie — et plus heureuse. Le temps d'être heureux, c'est maintenant.

Lynn Peters

Partout où elle est présente, on la remarque. Séduisante, attirante, bien habillée, amicale, un sourire radieux — elle rayonne d'une chaleur qui vous va droit au cœur. Elle est l'image même de celle « qui a tout pour elle ». Quand elle rit, quand elle sourit, elle le fait avec une telle confiance et une telle assurance que tous ceux qui la voient lui envient quelque chose. Mais d'où lui vient donc cette confiance en elle? Si vous le lui demandez, elle vous répondra : « Ça vient d'une certitude que j'ai au fond de moi — voyez-vous, je suis une survivante. »

Personne ne croirait que cette femme radieuse a eu à vivre une très grande épreuve. Chacun des incidents de son passé a été noté avec attention et classé dans le tiroir approprié de cet espace dans le temps que l'on appelle la vie. Cette femme se fait surtout remarquer par sa façon de toujours donner aux autres. La plupart du temps, elle ne se pose même pas la question du « comment? » Elle répond « oui » sans hésiter. Elle rayonne d'une joie presque surnaturelle. Passer juste une heure avec elle est aussi bénéfique qu'un mois de vacances.

En lisant et en réfléchissant aux mots ci-dessus, qui ont été écrits à mon sujet dans un éditorial, je souris. Ma vie n'a pas toujours été rose et vous n'auriez peut-être pas changé de place avec moi. N'oubliez pas ce que j'ai dit : « Je suis une survivante. » Ça s'est passé le 3 février 1970, à l'âge de 23 ans, et j'avais trois enfants âgés de moins de trois ans lorsque je me fis opérer.

On trouva une grosse tumeur dans la paroi gauche de la cage thoracique, qui traversait les côtes jusqu'au cœur, où elle essayait de se fixer. Il fallait qu'elle soit enlevée immédiatement. C'est ce qui arriva, sous la forme d'une incision qui partait de ma poitrine jusque dans mon dos, afin d'enlever trois sections de côtes, au-dessus du cœur. On coupa les muscles qui étaient rattachés à mon bras gauche, ce qui fit que je ne pouvais plus le bouger; on dégonfla mon poumon gauche et y inséra des tubes. Cette importante intervention chirurgicale altéra le sein gauche de manière irrémédiable. Un fibrosarcome de la paroi thoracique fut diagnostiqué. Ce qui aurait pour conséquence une douleur intolérable dans la poitrine pour le restant de mes jours, aggravée par des blessures et une croissance des tissus cicatriciels.

Après une intervention de 11 heures, on m'apprit qu'il ne me restait, tout au plus, que deux mois à vivre et qu'on ferait tout pour que je souffre le moins possible.

« Vous avez le cancer ! Et pas n'importe quel cancer, mais une des formes les plus graves du cancer des os, sans aucune chance de survie. »

Rappelez-vous que c'est arrivé en 1970. Aujourd'hui, des progrès ont été faits, mais l'issue est différente selon chaque individu. Oui, c'est elle! L'horrible sentence de mort que tout le monde associe au cancer. Mais les choses ont changé; aujourd'hui, on demande : « Quelles sont mes chances de survie? »

J'espère que raconter mon histoire servira à d'autres. Peut-être que les souffrances que j'ai endurées, ainsi que les techniques de survie que j'ai apprises aideront à alléger le fardeau émotionnel des autres. Mon but est d'aider tous ceux qui sont frappés par cette terrible maladie. Il n'est pas nécessaire que vous ayez cette maladie vous-même pour en être une victime. Elle peut toucher n'importe qui dans votre entourage.

J'ai essayé de tirer parti de la perte et de la destruction que le cancer m'a causées. Tout ce que j'ai enduré m'a rendue plus forte que les personnes de mon âge, et plus tolérante face à tout ce qui dans la vie peut nous paraître inadmissible.

À mon avis, tout dans la vie peut être merveilleux : un sourire, un geste, même la douleur et la déception peuvent me fortifier parce que je ne devais même plus être ici. Faites en sorte que le cancer vous apporte plus qu'il ne vous enlève.

Lorsque j'appris que j'avais le cancer, je pensais que ma vie était terminée. *Mon Dieu, qu'est-ce que je dois faire? J'ai trois bébés à la maison, et toute la vie devant moi. Je n'ai pas le temps pour ça, et je ne veux pas avoir si peur. S'il vous plaît, ne me dites pas que je vais mourir. S'il vous plaît, ne me dites pas que je vais souffrir au-delà de tout ce que je peux imaginer. S'il vous plaît, ne m'enlevez pas mon monde pour me laisser vivre dans un véritable enfer sur terre jusqu'à ce que je n'existe plus.*

Nous nous demandons toujours : « Pourquoi ça m'arrive à moi? Qu'est-ce que j'ai fait pour mériter ça? » Il n'y a pas de réponse à ces questions. Si nous avons cette terrible maladie, ce n'est pas parce que nous sommes punis. Nous l'avons par hasard.

À cause du cancer, j'ai appris à apprécier, respecter, accomplir, consoler, connaître un grand épanouissement et acquérir une étonnante perspicacité sur ce qui est vraiment important dans la vie.

Trop de personnes font l'erreur de juger une vie sur sa longueur plutôt que sur sa profondeur, ou par ses problèmes plutôt que par ses promesses. Nous n'avons rien à dire sur les cartes qui nous sont distribuées, mais nous avons beaucoup de contrôle sur la manière de les jouer. Nous sommes tous responsables de donner un sens à notre propre vie, dans chaque moment que nous avons à vivre. Rappelez-vous que chaque moment ne passe qu'une fois, et qu'il est impossible de le faire revenir. Tout ce que nous sommes, ou tout ce que nous laisserons derrière nous, dépend de nos actes et de nos choix. Je dis souvent : « J'ai été vraiment bénie dans ma vie *parce que* j'ai eu cette maladie redoutable qu'est le cancer. »

Roberta Andresen

À quoi ça sert ?

En tant que survivante du cancer, je tiens à dire qu'il n'y a vraiment rien de drôle à avoir le cancer. Mais en tant que comédienne, j'essaie de trouver ce qu'il y a de drôle dans ma vie quotidienne.

En 1991, après avoir reçu mon diagnostic, je commençai à écrire une petite pièce concernant mon cancer, pour donner un coup de pouce au processus de guérison.

Six mois plus tard, entre ma troisième et ma quatrième opération, je commençai la mise en scène de ma « comédie cancéreuse » pour les autres cancéreux, dans le but de leur apporter un peu de gaieté. J'étoffai ma représentation en y incluant des preuves des bienfaits physiques et psychologiques du rire; les façons de faire de l'humour dans notre vie quotidienne, ainsi que plusieurs histoires drôles et vraies.

Une de mes histoires préférées me vient d'une amie, Peggy Johnson, la présidente de Susan G. Komen Breast Cancer Foundation (La fondation Susan G. Komen pour le cancer du sein), en 1995-1996. Je la remercie, ainsi que son fils, de m'avoir permis de partager leur expérience :

J'ai une petite affiche accrochée dans ma douche, sur laquelle est schématisé un auto-examen du sein. Je laisse habituellement ce petit document tourné vers le mur. Mais voilà qu'un jour la femme de ménage la laisse de face. Mon fils, Jake, âgé de sept ans, l'aperçut et me demanda à quoi cela servait. Sans trop entrer dans les détails, je lui dis que l'affiche servait à me rappeler un geste que je devais faire tous les mois, et qu'elle me montrait comment je devais m'y prendre. Jake me répliqua : « Maman, je n'arrive pas à croire que tu ne sais pas comment laver tes seins. »

Je vous fais part de cette petite histoire pour illustrer trois points.

Premièrement, il s'agit d'une histoire vraie qui nous fait rire. Ma devise : « N'arrête pas de rire si tu veux rester en bonne santé », parce que le rire est bon pour nous. Je crois vraiment que les histoires les plus drôles peuvent être trouvées dans notre vie quotidienne.

Deuxièmement, c'est une excellente histoire de perception, qui montre comment deux personnes regardant la même chose peuvent la voir de façon différente. Nous pouvons tous choisir notre manière de voir les événements qui nous arrivent, même s'il s'agit d'un diagnostic de cancer. Parfois, on a seulement besoin d'un peu plus d'informations ou d'outils, comme l'humour, pour changer notre manière de voir les choses.

Troisièmement, j'espère que cette histoire incitera les femmes à ne pas oublier d'examiner leurs seins lorsqu'elles prennent leur douche, parce qu'un dépistage précoce est tellement important.

Jane Hill

Vis ta vie

J'étais vraiment démoralisée. J'avais essayé d'aider un ami à passer à travers une situation dangereuse et traumatisante, mais tous les efforts bien intentionnés que j'avais déployés n'avaient fait qu'aggraver les problèmes. Complètement désemparée, je m'assis sur le lit de ma fille. C'est alors que mon regard s'arrêta sur une feuille de papier froissée, sur laquelle étaient écrites les paroles de sagesse suivantes :

Le passé est révolu, mais le Présent est Éternel. L'avenir n'est pas dans nos mains, mais il est dans celles du Présent. Sors et prends possession des minutes de cette journée, comme s'il s'agissait du dernier jour de ta vie. Vis pleinement et apprécie chacun des moments de ta vie. Nous n'avons qu'une seule vie à vivre, alors vis-la comme un champion. Chaque personne est sur terre pour une raison particulière, alors laisse cette raison prendre le dessus et montre aux autres de quel bois tu te chauffes.

Je ne te dis pas comment vivre, mais comment tu devrais te sentir quand tu repenses à tes souvenirs de ta vie passée. Essaie de n'avoir rien à regretter. Si tu sens que c'est bien, fais-le. C'est ta vie et celle de personne d'autre. Prends les décisions qui te font plaisir. Ne laisse personne te décourager. Ne vis pas dans l'ombre ou dans les rêves de quelqu'un d'autre. Si tu as un rêve, fais le nécessaire et il se réalisera très probablement.

J'étais émerveillée par ce que je lisais; ces paroles parlaient directement à mon âme et apportèrent la lumière à mon esprit. Je courus voir ma fille pour lui demander où elle avait trouvé ce petit texte, pensant qu'elle l'avait copié d'un magazine. Elle m'avoua toute gênée qu'elle l'avait écrit elle-même.

« Mais tu n'as que douze ans! » me suis-je exclamée. « Où as-tu appris des enseignements comme ça? »

« Mais maman, tu ne le sais pas? » répliqua-t-elle. « C'est toi qui m'as enseigné tout ça. Je n'ai fait que le mettre par écrit! »

Judy et Katie Griffler

Bouillon de poulet pour l'âme en intraveineuse

Reproduit avec la permission de Dave Carpenter.

Cinquante leçons que j'ai apprises au fil du temps

- J'ai appris que la profession d'infirmière était à la fois la mission la plus difficile et la plus facile que j'ai faite.

- J'ai appris à prendre mon travail au sérieux, mais à ne pas me prendre au sérieux.

- J'ai appris que chaque fois que j'ai tenu une main en oubliant de noter les signes vitaux, j'ai quand même pris de l'avance dans mon travail.

- J'ai appris que la profession d'infirmière est extraordinaire parce que nos actions si ordinaires sont faites de façon magnifique.

- J'ai appris que si je ne m'impliquais pas émotionnellement auprès de mes patients, il ne me restait plus qu'à changer d'emploi.

- J'ai appris qu'à l'âge de 92 ans, vous ne devriez pas supplier que l'on vous passe la salière, même si vous souffrez d'insuffisance cardiaque congestive.

- J'ai appris qu'un patient n'a pas le cancer, une famille l'a.

- J'ai appris qu'un bon médecin dira : « Je ne sais pas ce qui ne va pas avec ce patient, venez donc m'aider à le découvrir. »

- J'ai appris à montrer aux gens comment voir « le cancer comme un cadeau ».

- J'ai appris que si ma fille me dit que demain à 8 h, c'est la vente de pâtisseries, je serai reconnaissante qu'il s'agisse d'une vente de pâtisseries et non d'une réunion pour les adolescentes enceintes.

- J'ai appris que, lorsqu'on a un besoin urgent de quelque chose, cette chose se trouve dans la chambre d'un autre.

- J'ai appris que guérir l'esprit était aussi important que guérir le corps.

- J'ai appris que si je n'étais pas capable de prendre soin de moi-même, je ne pourrais pas prendre soin des autres.

- J'ai appris que la nourriture des hôpitaux devait être une punition pour les fautes que nous avions commises dans une vie antérieure.

- J'ai appris que le corps croit chaque mot qu'on lui dit.

- J'ai appris que je devais essayer de correspondre le plus possible à l'image que je me faisais de l'infirmière parfaite.

- J'ai appris que le temps s'envole, que je m'amuse ou non.

- J'ai appris que la réalité est ce qu'elle est, et non ce que j'aimerais qu'elle soit.

- J'ai appris que si je ne pouvais les guérir, je pouvais quand même les soigner.

- J'ai appris que des soins centrés sur le patient ne consistait pas en des traitements de faveur, mais en des encouragements.

- J'ai appris qu'un des gestes les plus délicats que je pouvais poser était d'assister aux funérailles de tous mes patients.

- J'ai appris que si je suis là avant la fin, je suis quand même à l'heure.

- J'ai appris à faire la différence entre un événement mineur et une crise majeure.

- J'ai appris qu'il était habituellement mieux d'implorer le pardon plutôt que de demander une permission, surtout si j'emmène un saint-bernard dans la chambre d'un enfant malade aux soins intensifs.

- J'ai appris que l'on ne reconnaissait pas une bonne infirmière à sa ponctualité mais à sa compassion.

- J'ai appris qu'il était plus important de mettre en application l'esprit d'une loi, plutôt que de la respecter à la lettre.

- J'ai appris que tous les jours, je peux faire une différence dans la vie de quelqu'un, et je veux que cette différence soit toujours positive.

- J'ai appris que si je ne célébrais pas le côté extraordinaire de chaque journée, je perdrais quelque chose que je ne récupérerais jamais.

- J'ai appris que la meilleure chose pour aider un patient qui reçoit un diagnostic est d'éviter de marcher derrière lui ou devant lui, mais plutôt de marcher avec lui en écoutant attentivement ce qu'il a à dire.

- J'ai appris que plus un patient est agressif, plus il a besoin d'amour.

- J'ai appris que, lorsqu'on a affaire à un malade en phase terminale, il pouvait être plus important de savoir quand arrêter le traitement plutôt que de savoir quand le continuer.

- J'ai appris que certaines choses doivent être crues pour être vues.

- J'ai appris que la dépendance aux calmants était le dernier de nos soucis lorsqu'un patient souffrait.

- J'ai appris que les professionnels donnent des conseils, mais que les guérisseurs partagent leur sagesse.

- J'ai appris que la méditation, le travail d'équipe, une alimentation équilibrée et le massage sont partie intégrante du traitement d'un patient cancéreux comme les séances de radiation, la chirurgie et la chimiothérapie.

- J'ai appris que porter des sous-vêtements à pois rouges sous mon uniforme n'était pas vraiment la meilleure idée.

- J'ai appris que le chagrin ne connaît pas de règles.

- J'ai appris qu'il n'y avait pas de place pour les brutes ou les pleurnicheurs dans la profession d'infirmière.

- J'ai appris qu'il n'était pas nécessaire d'atteindre tous ses objectifs pour en apprendre beaucoup.

- J'ai appris qu'une infirmière qui n'avait pas le sens de l'humour devrait essayer de se faire engager comme bergère.

- J'ai appris que travailler deux fins de semaine consécutives n'était vraiment pas grave maintenant que la biopsie de mes seins était négative.

- J'ai appris que j'étais capable de travailler avec n'importe quel fluide du corps, sauf le mucus.

- J'ai appris que les étudiantes-infirmières feront chaque jour quelque chose que je croyais impossible.

- J'ai appris que le lendemain était toujours incertain.

- J'ai appris que les étudiants en médecine paniquaient lorsque je les assignais à des soins infirmiers.

- J'ai appris que si un malade confus m'accusait d'avoir « fait caca » dans son lit, je devais m'en excuser et lui promettre de ne plus jamais recommencer.

- J'ai appris que personne sur son lit de mort ne disait : « Je regrette de ne pas avoir passé plus de temps au bureau. »

- J'ai appris que si un enfant est assez grand pour aimer, il est assez grand pour avoir du chagrin.

- J'ai appris que la santé de nombreux malades s'améliorait malgré nous, mais beaucoup plus de patients se rétablissaient grâce à nous.

Sally P. Karioth, Ph.D., R.N.

Célébrons la vie!

Ce qui est derrière nous, et ce qui nous attend est bien insignifiant en comparaison de ce qui se trouve en nous.

Ralph Waldo Emerson

Chers employés, patients et visiteurs de l'hôpital Mercy,

Au début du mois de juin, j'ai fait un discours pour notre Journée nationale des survivants du cancer. Le thème de cette année était : *Célébrons la vie.* Lorsque je fis lire les grandes lignes de mon discours à ma nièce Mary, elle me dit : « Tante Sue, ce que tu vas dire peut aider n'importe qui, pas seulement les personnes atteintes du cancer. » Je partage donc *Célébrons la vie* avec vous :

FAITES LE BILAN DE VOS BIENFAITS AU LIEU DE COMPTER VOS SOUCIS.

J'ai lu ceci sur une petite carte de prières. Cela ne veut pas dire que vous n'aurez pas de soucis, mais lorsque vous en aurez, évitez de les compter. Concentrez-vous sur les bienfaits. Choisissez de voir un verre à moitié plein et non à moitié vide.

EXPLIQUEZ CE QUE VOUS RESSENTEZ EN TOUTE FRANCHISE.

Le cancer suscite toutes sortes d'émotions. Respectez-les avec honnêteté. Surtout, restez vous-même, concentrez-vous sur ce qu'il y a de bon pour vous. N'essayez pas de plaire en cachant vos vrais sentiments pour que les autres se sentent mieux.

APPRENEZ À RIRE ET RIEZ POUR APPRENDRE.

Quelqu'un a dit que le rire était le meilleur des médicaments. C'est tout à fait vrai! La vie m'a appris que le sens de l'humour était aussi vital que nos cinq sens. Avoir une attitude positive ne veut pas dire sourire sans arrêt, mais il y a un lien certain entre notre attitude et notre système immunitaire, lequel est beaucoup trop important pour que l'on puisse l'ignorer.

SUPPORTEZ L'INÉVITABLE.

Il faut traverser des périodes très difficiles lorsqu'on est malade. Mais n'oubliez pas cette phrase qu'une patiente tenait de sa mère : « Dès notre naissance et jusqu'à notre enterrement, les choses difficiles peuvent devenir pires encore! »

SOYEZ OUVERT ET FLEXIBLE... SUIVEZ LE COURANT.

Trouvez un sens à chaque petite chose de la vie quotidienne, car les petites choses sont très importantes. Réfléchissez au dicton suivant : « Ceux qui ont un pourquoi dans la vie sont capables de supporter n'importe quel comment. » Le cancer est un signal d'alarme qui nous tire de notre suffisance.

RESTEZ EN CONTRÔLE EN VOUS INTERCONNECTANT AVEC LES MEMBRES DE VOTRE FAMILLE ET VOS MÉDECINS.

Travaillez avec vos médecins en tant que collègue et non comme une victime. Fiez-vous aux signaux que vous envoie votre corps pour le meilleur et pour le pire. Vous avez le droit de conserver une certaine maîtrise sur ce qui vous arrive.

ACCEPTEZ VOTRE MORTALITÉ ET FAITES-LUI FACE.

Il peut s'agir d'un processus lent et douloureux qui nécessite patience et efforts. Il est vrai que le cancer fait que nous voyons la vie différemment. Nous allons tous mourir un jour; mais la façon dont nous vivons le temps qui nous reste dépend de nous.

CHÉRISSEZ CHAQUE JOURNÉE ET CHAQUE NOUVELLE EXPÉRIENCE.

Non, je n'aurais pas choisi le cancer sur le menu des problèmes de santé, mais jamais je ne regretterai ce que le cancer m'a permis d'apprendre, de vivre, de rire et d'aimer. Un des effets secondaires les plus importants fut le fait qu'il m'a permis de faire la connaissance de personnes extraordinaires. Je suis persuadée que l'on peut tourner le dos au négativisme quand il veut nous abattre.

ENTRAÎNEZ VOTRE CORPS ET VOTRE ESPRIT SELON VOS CAPACITÉS.

Dans le nouveau livre Remarkable Recovery *(Incroyable guérison), de Caryle Hirshberg et Marc Ian Barasch, sept dénominateurs communs sont présentés : avoir la volonté de vivre; accepter la maladie mais non l'issue; collaborer avec les médecins; être entouré de personnes qui vous soutiennent; améliorer son alimentation; faire plus d'exercice; et découvrir l'importance de l'espoir pour la guérison.*

VIVRE EN AYANT EN TÊTE QUE LA VIE EST UN MYSTÈRE QUE L'ON DOIT VIVRE, ET NON UN PROBLÈME À RÉSOUDRE.

Quand vous cherchez des réponses, des raisons, des pourquoi et des pourquoi pas, n'oubliez pas qu'il y a une dimension dans tout ça qui restera toujours un mystère. Il arrive parfois que les combats pour la santé nous demandent de nous soumettre au lieu de tenter de tout analyser.

PUISEZ DANS VOS RESSOURCES INTÉRIEURES : COURAGE, EFFORT, DÉTERMINATION, FOI, ESPOIR ET AMOUR.

Tout ceci alimente la volonté de vivre et de s'épanouir. Étonnez-vous en essayant de maximiser vos possibilités, en mettant en pratique ces attitudes positives.

TROUVEZ L'AVENIR DANS VOTRE PRÉSENT.

Peut-être vous êtes-vous déjà demandé si vous alliez vivre jusqu'à aujourd'hui. Eh bien! Vous êtes là, toujours vivant! Fixez-vous des buts à court terme pour rester en contact avec la vie. Méditez sur ces paroles : « Hier, c'est le passé; demain, c'est l'avenir; mais aujourd'hui est un cadeau. *C'est pour cela qu'on l'appelle le présent. » Laissez ces paroles pénétrer votre cœur.*

SOYEZ UN GAGNANT — NON UNE VICTIME OU UN SIMPLE SURVIVANT, MAIS UNE PERSONNE EN PLEIN ÉPANOUISSEMENT!

Dois-je en dire plus? Alors debout! En avant, marche!

Sœur Sue Tracy, o.p.

À propos des auteurs

Jack Canfield

Jack Canfield est un auteur à succès et un des plus grands spécialistes américains du développement du potentiel humain. Conférencier dynamique et coloré, il est également un formateur très en demande.

Jack a passé son enfance à Martins Ferry, en Ohio, et à Wheeling, en Virginie occidentale. De son propre aveu, Jack raconte qu'il était un adolescent timide et peu sûr de ses moyens. Grâce à son acharnement, il a pu exceller aussi bien dans les sports qu'à l'école.

Une fois son diplôme universitaire en poche, Jack a enseigné à Chicago et dans l'Iowa. Par la suite, il a travaillé avec des enseignants afin que ceux-ci puissent aider des jeunes à croire en eux-mêmes et à se lancer à la poursuite de leurs rêves. Auteur et narrateur de plusieurs audiocassettes et vidéocassettes, dont *Self-Esteem and Peak Performance, How to Build High Self-Esteem* et *The GOALS Program*, Jack participe régulièrement à des émissions de radio et de télévision. Il a aussi publié plusieurs livres, tous des best-sellers dans leurs catégories respectives.

Jack donne annuellement une centaine de conférences. Sa liste de clients comprend des écoles, des conseils scolaires, des associations qui œuvrent dans le domaine de l'éducation et des corporations comme AT&T, Campbell Soup, Clairol, Domino's Pizza, GE, Re/Max, Sunkist, Supercuts et Virgin Record.

Tous les ans, Jack organise un programme de formation de sept jours destiné aux gens qui travaillent dans le domaine de l'estime de soi et de la performance. Ce programme attire des éducateurs, des conseillers, des formateurs auprès des groupes de soutien aux parents, des formateurs en entreprise, des conférenciers professionnels, des ministres du culte.

Mark Victor Hansen

Mark Victor Hansen est né à Waukegan, en Illinois. Fils de Una et Paul Hansen, immigrants originaires du Danemark, il a commencé à travailler dès l'âge de neuf ans comme camelot. À 16 ans, il était devenu superviseur adjoint pour ce journal.

Mark étudiait à l'école secondaire lorsqu'il regarda la première apparition des Beatles à la télévision. Il appela son meilleur ami, Gary Youngberg, et lui annonça : « Formons un groupe rock! » En moins de deux semaines, ils fondèrent un groupe de cinq membres appelé The Messengers. Grâce à ce groupe, Mark put amasser suffisamment d'argent pour payer lui-même ses études.

Mark est ensuite devenu conférencier professionnel. Au cours des 24 dernières années, il a livré plus de 4000 conférences devant plus de deux millions de personnes. Ses conférences portent sur l'excellence et les stratégies dans le domaine de la vente et sur le développement personnel.

Mark consacre encore sa vie à sa mission : apporter des changements profonds et positifs dans la vie des gens. Tout au long de sa carrière, il a su inciter des centaines de milliers de gens à se bâtir un avenir meilleur et à donner un sens à leur vie.

Auteur prolifique, Mark a écrit de nombreux livres, dont *Future Diary, How to Achieve Total Prosperity* et *The Miracle of Tithing*. Il est coauteur de *Dare to Win*, de la série *Bouillon de poulet pour l'âme* et *The Aladdin Factor* (tous en collaboration avec Jack Canfield), et de *The Master Motivator* (avec Joe Batten).

En plus d'écrire et de donner des conférences, Mark a réalisé une collection complète d'audiocassettes et de vidéocassettes sur le développement personnel qui ont permis à une foule de gens de découvrir et d'utiliser toutes leurs ressources dans leur vie personnelle et professionnelle. On a notamment pu le voir sur les réseaux ABC, NBC, CBS, CNN, PBS et HBO.

Mark vit à Costa Mesa, en Californie, avec sa femme, Patty, ses filles, Elizabeth et Melanie, et sa ménagerie d'animaux.

Patty Aubery

Patty Aubery est vice-présidente de The Canfield Training Group et de Self-Esteem Seminars, Inc. Elle a commencé à travailler pour Jack Canfield en 1989, lorsque ce dernier dirigeait encore son organisme de sa maison de Pacific Palisades. Elle collabore avec lui depuis la naissance de *Bouillon de poulet pour l'âme* et se rappelle les premiers efforts de commercialisation du livre. Elle dit : « Je me vois encore assise aux tables des marchés aux puces par une température de 37 °C pour essayer de vendre le livre, et les gens s'arrêtaient, regardaient, puis passaient au kiosque suivant! Ils me pensaient folle. Tout le monde disait que je perdais mon temps. Et maintenant me voici. Des millions d'exemplaires des titres de la série *Bouillon de poulet* ont été vendus, et je suis coauteure de deux d'entre eux! »

Patty est coauteure de *Bouillon de poulet pour l'âme des chrétiens : des histoires qui réchauffent le cœur et remontent le moral*. Elle a été invitée à participer à plusieurs émissions de radio souscrites au niveau local et national.

Patty est mariée à Jeff Aubery et ils ont un fils, J.T. Aubery. Patty et sa famille résident à Santa Barbara, en Californie.

Nancy Mitchell

Nancy Mitchell est directrice des services d'édition de The Canfield Group et responsable de tous les droits d'auteurs et permissions. Elle a obtenu un baccalauréat en sciences infirmières de l'Arizona State University en mai 1994. Elle a ensuite travaillé au Good Samaritan Regional Medical Center à Phoenix, en Arizona, dans l'unité des soins intensifs cardiovasculaires. Quatre mois plus tard, elle est retournée à sa ville natale de Los Angeles. Sa sœur et coauteure, Patty Aubery, lui a offert un emploi à temps partiel avec Jack Canfield et Mark Victor Hansen. Elle avait alors l'intention d'aider à finir *Un 2e bol de Bouillon de poulet pour l'âme*, puis de retourner aux soins infirmiers. Cependant, en décembre de cette année-là, on lui demanda de continuer de travailler à temps plein pour The Canfield Group. Nancy a mis les soins infirmiers en attente et est devenue directrice des services d'édition, travaillant étroitement avec Jack et Mark sur tous les projets de *Bouillon de poulet pour l'âme*.

Ce dont Nancy est le plus reconnaissante à l'heure actuelle, c'est son retour à Los Angeles. «Si je n'étais pas retournée en Californie, je n'aurais jamais eu la chance d'être ici auprès de ma mère lorsqu'elle a été atteinte d'un cancer du sein. Ma priorité en ce moment est d'être ici pour ma mère et pour ma famille.» Cette bataille livrée contre le cancer a permis à Nancy d'être coauteure de *Bouillon de poulet pour l'âme des chrétiens : des histoires qui réchauffent le cœur et remontent le moral*. Nancy a récemment déménagé à Santa Barbara auprès de The Canfield Group.

Autorisations

Nous aimerions remercier tous les éditeurs ainsi que les personnes qui nous ont donné l'autorisation de reproduire leurs textes.

Les guérisseurs de l'âme. Extrait de son livre *Animals as Teachers & Healers : True Stories & Reflections,* par Susan Chernak McElroy. ©1996 New Sage Press.

De la chimio à la télé. Reproduit avec l'autorisation de The Candlelighters Childhood Cancer Foundation. ©1995 par *The Candlelighters Childhood Cancer Foundation Youth Newsletter.* Tous droits réservés.

On peut apprendre à un vieux singe à faire des grimaces. Reproduit avec l'autorisation de Howard J. Fuerst, M.D. ©1996 Howard J. Fuerst, M.D.

L'espoir. Reproduit avec l'autorisation de Commune-A-Key Publishing. ©1994 William Buchholz, M.D.

Wild Bill. Reproduit avec l'autorisation de Mary L. Rapp. ©1995 Mary L. Rapp.

Le cancer a été une bénédiction. Reproduit avec l'autorisation de Kimberly A. Stoliker. ©1995 Kimberly A. Stoliker.

Cancer et choix de carrière. Reproduit avec l'autorisation de Robert H. Doss. ©1995 Robert H. Doss.

C'est aujourd'hui la plus belle époque. Reproduit avec l'autorisation de Joanne P. Freeman. ©1995 Joanne P. Freeman.

Pas sans me battre. Reproduit avec l'autorisation de Mary Helen Brindell. ©1995 Mary Helen Brindell.

Génie du Nintendo et *Mon héros.* Reproduit avec l'autorisation de Katie Gill. ©1995 Katie Gill.

Lutter — la bataille d'un seul homme contre une tumeur du cerveau. Reproduit avec l'autorisation du Révérend Robert Craig. ©1994 Révérend Robert Craig.

Osez rêver. Reproduit avec l'autorisation de Manuel Diotte. ©1994 Manuel Diotte.

Réaliser ses rêves. Reproduit avec l'autorisation de Marilyn R. Moody. ©1995 Marilyn R. Moody.

Chris — un élève hors du commun. Reproduit avec l'autorisation de Louise Biggs. ©1995 Louise Biggs.

Déjà parus dans la collection

BOUILLON DE POULET POUR L'ÂME

UN 1ER BOL
288 PAGES

UN 2E BOL
304 PAGES

UN 3E BOL
304 PAGES

UN 4E BOL
304 PAGES

POUR LA FEMME
288 PAGES

POUR UNE MÈRE
312 PAGES

POUR LES CHRÉTIENS
288 PAGES

AU TRAVAIL
288 PAGES

POUR L'AMI DES BÊTES
304 PAGES

POUR LE GOLFEUR
336 PAGES

POUR LES ADOS
288 PAGES

ADOS — JOURNAL
336 PAGES

FORMAT POCHE

UN CONCENTRÉ
216 PAGES

UNE TASSE
192 PAGES

Nouveauté

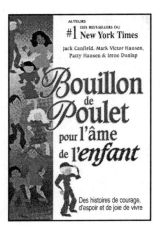

Nouveauté

Deux des motivateurs les plus aimés du monde vous invitent à vous joindre à eux pour leur plus récent festin d'histoires inspirantes et pleines de sagesse qui résistent à l'épreuve du temps.

Que vous soyez un passionné de longue date de cette série ou un nouveau lecteur, vous chérirez le plus récent hommage que rend *Bouillon de poulet pour l'âme* à la vie et à l'humanité.

Les auteurs de ces histoires partagent avec vous quelques-unes des expériences les plus significatives de leur vie. Leurs histoires-cadeaux vous aideront à trouver une signification profonde à vos propres expériences et à progresser vers une vie plus riche et plus épanouissante.

N'oubliez pas, dans votre vie comme dans la vie de ceux qui vous sont chers, il y a toujours place pour plus d'amour, plus de sagesse, plus d'inspiration, plus de partage et, bien sûr, plus de *Bouillon de poulet*.

Un 5ᵉ bol de Bouillon de poulet pour l'âme
AUTEURS : JACK CANFIELD, MARK VICTOR HANSEN
336 PAGES

À paraître

Bouillon
de Poulet
pour l'Âme
du Couple

Pour tous les amoureux...

Histoires d'amour intimes, inspirantes et vraies, elles rendent hommage à l'art des amoureux de
résister continuellement aux effets
de la distance, des difficultés et
même à ceux de la mort. Vous serez
émus et inspirés à la lecture des
secrets de ces couples à trouver et
conserver l'amour.

Chaque histoire qui nous vient du cœur nous montre la
place déterminée de l'amour entre les tendres débuts et
l'intime intensité de l'amour jusqu'à la maîtrise des défis et
du temps des départs. Quelques histoires vous aideront à
renouveler la passion dans votre couple; d'autres vous
feront apprécier comment vous avez grandi par l'amour; et
d'autres qui, même si l'amour nous remet en question et
nous touche de façon unique, nous rassurent en nous mon-
trant que nous ne sommes pas seuls à vivre ces expériences.

Le *Bouillon de poulet pour l'âme d'un couple* s'adresse à
tous ceux qui ont été, qui sont ou qui espèrent être en
amour. Ces histoires vous laisseront une marque indélébile
dans votre cœur et vous inspireront à vivre une vie remplie
de joie, d'espérance et de gratitude.

BOUILLON DE POULET POUR L'ÂME DU COUPLE
AUTEURS : JACK CANFIELD, MARK VICTOR HANSEN,
MARK & CHRISSY DONNELLY ET BARBARA DE ANGELIS, PH.D.

Vaincre la codépendance

Ce livre vous rend la liberté

Le classique incontestable des livres de croissance personnelle. Comment cesser de voler au secours des autres en leur sacrifiant votre propre épanouissement. Un outil indispensable pour acquérir une compréhension de la codépendance, pour changer notre comportement et pour avoir une attitude nouvelle envers soi-même et envers les autres.

TRADUIT PAR : HÉLÈNE COLLON
COLLECTION HAZELDEN/CHEMINEMENT
FORMAT 14 X 21,5 CM, 312 PAGES, ISBN 2-89092-115-8

Au-delà de la codépendance

Comment se refaire une vie nouvelle et riche

*L'*histoire incroyable de Melody Beattie et de son propre cheminement pour se bâtir une vie nouvelle.

L'auteure explore ici la dynamique d'un rétablissement sain, l'importance des affirmations positives pour contrer les messages négatifs, et beaucoup plus encore.

TRADUIT PAR : CLAIRE STEIN
COLLECTION HAZELDEN/CHEMINEMENT
FORMAT 14 X 21,5 CM, 328 PAGES, ISBN 2-89092-161-1

Savoir lâcher prise

« Un livre unique »
de méditations quotidiennes

Un livre de méditations pour vous aider à prendre un moment chaque jour pour vous rappeler ce que vous savez tous : chaque jour nous apporte une possibilité de grandir et de se renouveler.

L'auteure nous rappelle que les problèmes sont faits pour être résolus et que la meilleure chose que nous pouvons faire est d'assumer la responsabilité de notre souffrance et de notre préoccupation de soi.

TRADUIT PAR : CLAIRE STEIN
COLLECTION HAZELDEN/MÉDITATION
FORMAT 14 X 21,5 CM, 416 PAGES, ISBN 2-89092-195-6

366 nouvelles méditations quotidiennes pour Savoir lâcher prise

(titre provisoire)

Melody Beattie, encore une fois, nous offre ses réflexions profondes pour nourrir notre spiritualité et nos émotions. De même, ses méditations inspirent les personnes en cours de recouvrance de dépendance chimique, relationnelle ou familiale, ainsi que les personnes intéressées à la croissance personnelle. Un livre idéal pour vous laisser accompagner, chaque jour, par Melody Beattie.

À PARAÎTRE PROCHAINEMENT
COLLECTION HAZELDEN/MÉDITATION

La colère et vous

Un guide pour mieux composer avec les émotions issues de l'abus de substances

Bien que nous n'aimions pas l'admettre, nous nous mettons tous en colère... La colère est une émotion humaine, normale et saine. *La colère et vous* amène les lecteurs à découvrir la source de leur colère et les formes qu'elle prend — tels la violence, la dépression, le ressentiment, la manipulation et le mur du silence.

AUTEURS : GAYLE ROSELLINI ET MARK WORDEN
TRADUIT ET PRÉFACÉ PAR : SUZIE ROCHEFORT
COLLECTION HAZELDEN
FORMAT 14 X 21,5 CM, 224 PAGES, ISBN 2-89092-244-8

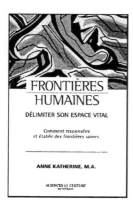

Frontières humaines

Délimiter son espace vital

Les frontières aident à mettre de l'ordre dans notre vie. Elles renforcent les liens que nous entretenons avec nous-mêmes et avec autrui. Elles sont essentielles pour la santé du corps et de l'esprit. Le vécu des personnes qui témoignent dans ce livre illustre, d'une part, les effets destructeurs que subissent ceux qui ne savent pas affirmer leurs limites ; il montre, d'autre part, les avantages que l'on trouve à protéger ses propres frontières et à respecter celles d'autrui.

AUTEURE : ANNE KATHERINE
TRADUIT PAR : SUZIE ROCHEFORT
COLLECTION HAZELDEN
FORMAT 14 X 21,5 CM, 288 PAGES, ISBN 2-89092-249-9

Caractère dépendant

Pour mieux comprendre la dynamique de la dépendance et les compulsions

*L'*ouvrage décrit de manière saisissante le processus de la dépendance : les causes, les trois phases du développement et les conséquences. Ce livre a aidé des milliers de personnes à comprendre la nature et la profondeur de l'une des plus répandues et des plus coûteuses maladies frappant notre société actuellement.

AUTEUR : CRAIG NAKKEN
TRADUIT ET PRÉFACÉ PAR : SUZIE ROCHEFORT
COLLECTION HAZELDEN/CHEMINEMENT
FORMAT 14 X 21,5 CM, 224 PAGES, ISBN 2-89092-258-8

Insatisfaction chronique

Qu'est-ce qui m'empêche de me sentir bien ?

L'insatisfaction chronique a peu de rapport avec ce que l'on est ou n'est pas ni avec ce que l'on a ou n'a pas. Les auteurs ont mis au point des méthodes qui permettent d'en finir avec le besoin vital sous-jacent qui se manifeste sous la forme d'un sentiment chronique d'insatisfaction et qui vous empoisonne la vie.

AUTEURS : LAURIE ASHNER ET MITCH MEYERSON
TRADUIT PAR : LARRY COHEN
COLLECTION HAZELDEN
FORMAT 15 X 23 CM, 304 PAGES, ISBN 2-89092-261-8